VIC LE VICTORIEUX

Astrid Lindgren

Vic le Victorieux

Traduit de l'anglais
par Sylvette Brisson-Lamy

Illustrations de Boiry

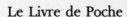

Le Livre de Poche

A partir de 9 ans

Ce livre a été publié dans la langue originale sous le titre :
LILLEBROR OCH KARLSSON PA TAKET
par Raben & Sjogren à Stockholm.

Chapitre 1
Vic le  Victorieux

Il y a à Stockholm, en Suède, une rue qui
ressemble à n'importe quelle autre rue ; dans
cette rue, un immeuble qui ressemble à n'importe quel autre immeuble, et dans cet immeuble
un appartement avec une famille toute simple :
la famille Sanderson.

Une famille avec un papa comme n'importe
quel autre papa, une maman comme n'importe
quelle autre maman, et trois enfants tout à fait
ordinaires : Patrick, Brigitte et Michel.

« Mais non ! Je ne suis pas un Michel ordinaire ! » proteste toujours Michel.

Il ment : c'est un Michel modèle courant. Il
y en a comme lui des quantités avec des yeux
bleus, des nez retroussés, qui oublient de se

laver les oreilles et qui trouent leurs pantalons aux genoux. Michel est donc un Michel tout ce qu'il y a de plus ordinaire. Cela ne fait aucun doute !

Son grand frère Patrick — qu'on appelle Pat — adore le football et ne fait pas grand-chose en classe. C'est par conséquent un garçon très ordinaire. Quant à Brigitte, elle porte une queue de cheval comme tant d'autres « moins de vingt ans », ce qui est aussi parfaitement ordinaire.

Mais cependant il existe dans cette rue quelqu'un qui ne ressemble à personne, qui n'est ni simple, ni ordinaire, ni modèle courant, quelqu'un d'extraordinaire, c'est Vic le Victorieux.

Il habite *sur* le toit de l'immeuble ce Vic !

Bizarre, n'est-ce pas ? Je ne sais si c'est pareil ailleurs, mais en tout cas, à Stockholm, on ne rencontre pas à chaque coin de cheminée quelqu'un qui vit dans une petite maison perchée sur une autre ! Et cependant, c'est ainsi, Vic est tout petit, tout rond, et décidé. De plus, il vole. Voler, c'est à la portée de chacun ; on prend l'avion, on saute dans un hélicoptère, et le tour est joué. Mais Vic, lui, vole par ses propres moyens : il lui suffit de tourner la manette qu'il porte à la place du nombril et hop ! le moteur miniature qu'il a dans le dos se met en marche. Pendant quelques instants, Vic reste immobile, le temps de laisser chauffer l'engin et puis, dès que l'hélice a atteint son régime, il s'élève dans les airs et s'éloigne, digne comme un « cadre supérieur »... (à condition d'imaginer un tel personnage avec une hélice dans le dos !).

Vic est très heureux dans sa petite maison sur le toit. Le soir, il s'installe sur les marches de son perron pour fumer sa pipe en regardant les étoiles. Les étoiles, on les voit beaucoup mieux de là-haut que de toute autre pièce d'une maison, si bien qu'on se demande pourquoi il n'y a pas davantage de personnes pour vivre sur les toits. Disons tout de suite que les habitants de l'immeuble ne savent pas qu'il est possible d'habiter sur un toit. Ils ignorent même que Vic loge au-dessus de leur tête, car sa maison est bien cachée derrière une cheminée.

On ne fait pas attention aux petites villas du genre de celle de Vic, même quand on se prend le pied dedans. Cependant un ramoneur l'aperçut, un jour, et en fut stupéfait.

« Par exemple ! Une maison ! Incroyable ! Comment a-t-elle fait pour monter jusqu'ici ? »

Puis il se mit à ramoner, n'y pensa plus et n'y repensa jamais !

Connaître Vic, qui a le don de tout rendre palpitant dès qu'il entre quelque part, serait excellent pour Michel. De son côté, Vic pense peut-être qu'il serait bien agréable de devenir l'ami de Michel car ce ne doit pas être folichon de vivre tout seul dans une maison dont personne ne connaît l'existence, alors que ce serait si plaisant de s'entendre crier : « Salut, Vic ! », quand on passe.

Alors... Vic et Michel vont-ils se rencontrer ? Eh bien oui, et voici comment.

C'est un de ces jours où tout va mal, où il n'y a aucun plaisir à être Michel. En général, c'est réellement bien d'être Michel, on est l'enfant chéri de tous les membres de la famille et on se laisse gâter. Mais parfois on traverse tout de même de mauvaises périodes : maman vient justement de le gronder à cause du trou qu'il a fait à son pantalon. Brigitte lui a lancé dédaigneusement : « Mouche-toi donc, gamin ! » et papa s'est fâché parce qu'il avait traîné en rentrant de l'école.

« Qu'est-ce qui te prend de flâner dans les rues ? »

Flâner dans les rues... Il n'a pas flâné ! Bien sûr que non, mais papa ne peut pas deviner que Michel a rencontré un chien, un beau chien gentil qui lui a reniflé les jambes en remuant la queue et qui l'a regardé avec l'air de vouloir devenir son chien. S'il n'avait tenu qu'à Michel, il l'aurait adopté à l'instant même.

10

Mais voilà, papa et maman n'en veulent pas dans la maison. Et puis, de toute façon, il a entendu quelqu'un crier : « Rick ! Rick ! Viens ici ! » et il a compris que ce chien-là ne lui appartiendrait jamais.

Il en a parlé à maman et il a ajouté :

« Toi, maman, tu as papa, Brigitte et Patrick. Moi, je n'ai personne !

— Comment, mon chéri ? s'écria maman. Mais tu nous as tous !

— Non ! » répliqua Michel, plus sombre que jamais.

Soudain, il se sent seul, seul, seul... En fait, il ne possède qu'une chose, sa chambre, et il y va tout droit.

C'est une belle soirée de printemps. Les rideaux blancs frissonnent comme s'ils faisaient signe aux lointaines étoiles dans le ciel pâle. Michel va s'accouder à sa fenêtre. Il pense au chien et se demande ce qu'il peut bien faire à l'heure qu'il est. Se trouve-t-il dans sa corbeille, à côté d'un garçon — pas Michel, un autre — qui lui flatte la tête en disant : « Rick, tu es un bon toutou » ?

Michel soupire. Et tout à coup, un léger bourdonnement lui parvient. Puis le bruit augmente et voilà qu'un nain, dodu comme un bébé, passe devant sa fenêtre sans se presser.

C'est Vic le Victorieux qui habite sur le toit, mais Michel n'en sait rien encore.

Vic l'effleure du regard, puis il continue sa route. Il vire, survole les toits d'en face, contourne la cheminée et revient vers sa fenêtre. Il a pris de la vitesse. On dirait un petit avion. Vic recommence plusieurs fois son manège. Michel reste cloué sur place, incapable de dire un mot, tellement ému que quelque chose le picote dans la poitrine, parce qu'on ne voit pas tous les soirs un drôle de petit bonhomme grassouillet passer devant sa fenêtre... A la fin, Vic s'approche :

« Salut ! dit-il. Tu permets que j'atterrisse ici ?

— Bien sûr ! Mais... dites-moi..., ça doit être difficile de voler !

— Pas pour moi, répond Vic d'un air important. Pas difficile, pour moi ! Je suis le plus grand acrobate volant du monde. Mais je ne conseillerais pas à n'importe quel lourdaud de chercher à m'imiter ! »

Michel prend l'avertissement pour lui et se dit qu'en effet il ne se risquera jamais à virevolter de cette façon !

« Comment t'appelles-tu ?

— Michel... Michel Sanderson.

— Tiens ! En voilà un nom ! Moi, je suis Vic... Vic le Victorieux. Eh bien, salut, Michel !

— Salut, Vic !

— Quel âge as-tu ?

— Sept ans !

— Bon ! Eh bien, continue ! »

Vic passe un mollet rebondi par-dessus le rebord de la fenêtre et saute dans la chambre.

« Et vous, quel âge avez-vous ?

— Moi ? Je suis dans la fleur de l'âge ! » rétorque Vic.

Michel ne voit pas ce que signifie « fleur de l'âge ». Il se demande si lui-même n'est pas en plein dedans sans s'en douter.

« A quel âge est-on dans la fleur de l'âge ? questionne-t-il.

14

— A tous les âges, répond Vic avec bonne humeur. Du moins en ce qui me concerne. Je suis un homme dans sa première jeunesse, c'est-à-dire un bel homme intelligent, pas encore noyé dans la graisse. »

Ses yeux se fixent sur un des jouets de Michel posé sur un rayon de la bibliothèque : un modèle réduit de machine à vapeur.

« On la met en route, ta machine ? propose-t-il.

— Oh non ! Papa ne veut pas que je la fasse marcher s'il n'y a pas de grande personne avec moi.

— Une grande personne... Alors, pourquoi pas Vic le Victorieux ? Je suis le plus grand conducteur de machine à vapeur du monde ! Tu lui diras ça, à ton papa. »

Il s'empare de la bouteille d'alcool à brûler, emplit le réservoir et allume le brûleur. Vic a beau être le plus grand conducteur de machine à vapeur du monde, cela ne l'a pas empêché de renverser sur le rayon de la bibliothèque une bonne lampée d'alcool qui prend feu ! De joyeuses petites flammes bleues entourent immédiatement la machine. Michel pousse un cri et se précipite pour les éteindre.

« T'en fais pas ! » recommande Vic en l'écartant de sa petite main de bébé.

Comment ne pas s'en faire quand votre éta-

gère se met à flamber ? Michel saisit une serviette et étouffe les flammèches. Mais elles ont
eu le temps d'entamer le vernis et laissent à
leur place une large marque très vilaine.

« Regardez ! murmure Michel, consterné.
Qu'est-ce que maman va dire ?

— En voilà une affaire pour une petite trace
de rien du tout ! Que tu es terre à terre ! Il n'y
a pas de quoi fouetter un chat ! Tu lui diras ça
à ta maman ! »

Vic s'agenouille devant la machine. Ses yeux
brillent.

« Dans une minute, tu vas l'entendre faire
teuf-teuf-teuf, s'il y a de l'eau dedans ! »

Il y en a et la machine se met à fonctionner.
Teuf-teuf-teuf ! C'est la plus belle machine à
vapeur qui soit ! Vic paraît aussi fier d'elle que
s'il l'avait construite de ses mains.

« Vérifions la soupape de sécurité ! déclare-
t-il en la vissant énergiquement. Sans cette
précaution, tout saute !

— Teuf-teuf-teuf ! dit la machine. Teuf-teuf-
teuf ! » dit-elle de plus en plus vite.

On croirait qu'elle galope ! Les yeux de Vic
étincellent.

Michel ne pense plus aux traces de roussi de
son étagère tant il est heureux de son jouet qui
tourne si rond, et de Vic — le plus grand

conducteur de machine à vapeur du monde —
qui a si bien su régler la soupape de sécurité.

« Écoute-moi ça, Michel ! Teuf-teuf-teuf ! Formidable ! Quand je te disais que je suis le plus grand conduc... »

Boum ! Une explosion ! Une explosion terrible ! Plus de machine à vapeur, mais des débris partout dans la chambre !

« Elle a éclaté ! s'écrie Vic au comble de la satisfaction, comme si c'était la meilleure performance qu'on puisse attendre d'un jouet scientifique.

« Elle a éclaté ! répète-t-il. Pour de bon ! Boum ! Quel vacarme, hein ? »

Michel, lui, est bouleversé.

« Ma machine ! La voilà cassée !

— Pas de quoi fouetter un chat ! dit Vic avec un geste insouciant. Je t'en donnerai une autre !

— Vous ?

— Mais oui ! J'en ai des milliers chez moi !

— Chez vous ? Où donc ?

— Dans ma maison, sur le toit !

— Oh ! Vous possédez une maison... sur le toit ? Vrai ? Avec des milliers de machines à vapeur dedans ?

— Des milliers... c'est peut-être beaucoup dire, rectifie Vic. Mais j'en ai plusieurs centaines.

— Cela me ferait plaisir de voir votre maison ! » assure Michel.

Une maison sur le toit... comme cela paraît incroyable.

« Une maison pleine de machines à vapeur ! Des centaines de machines à vapeur ? reprend Michel.

— A vrai dire, je ne les ai pas comptées, mais il en reste bien quelques douzaines, répond Victor. Il en explose une de temps à autre, mettons qu'il y en ait encore vingt, vingt-deux...

— Je pourrai en avoir une ? demande Michel.

— Naturellement !

— Tout de suite ?

— Mm..., laisse-moi le temps de les rechercher, de vérifier les soupapes. Je te l'apporterai. T'en fais pas ! Une autre fois. »

Michel se met à ramasser les morceaux de ce qui avait été une vraie petite merveille.

« Qu'est-ce que papa va dire ! » se lamente-t-il.

Vic, étonné, lève un sourcil.

« A propos de la machine ? Pas de quoi fouetter un chat ! Tu lui diras de ma part que ça ne vaut pas la peine de s'en faire pour si peu ! Je le lui dirais moi-même d'ailleurs, si j'avais le temps de l'attendre, mais il faut que je rentre. J'ai du travail.

— Votre visite m'a fait grand plaisir, dit

Michel, sauf pour ce qui est de l'accident...
Vous reviendrez ?

— T'en fais pas ! » répète Vic en cherchant
sa manette qui ne se trouve plus exactement à
la place de son nombril.

Le moteur tousse et Vic reste immobile jusqu'à ce qu'il tourne. Puis il décolle et tournoie
autour de la chambre.

« Mon moteur a des ratés, constate-t-il. Il va
falloir que j'aille au garage pour une vidange
et un graissage. Je pourrais le faire moi-même,

remarque, parce que je suis le plus grand mécanicien du monde, mais je manque de temps. Tout bien réfléchi, je vais me conduire au garage. »

Michel pense aussi que c'est ce qu'il y a de mieux à faire.

Vic s'échappe par la fenêtre ouverte et sa petite tête ronde se profile sur le ciel étoilé.

« Salut, Michel ! » fait-il en agitant sa menotte.

Vic le Victorieux est parti.

Chapitre 2

La tour de Vic

« Mais maman, je te l'ai déjà dit ! Il s'appelle Vic et il habite sur le toit ! s'écrie Michel. Qu'est-ce qu'il y a de drôle à ça ? On a le droit d'habiter où l'on veut, tu ne crois pas ?

— Voyons, voyons, Michel ! Ne raconte pas d'histoires ! Tu nous as fait une peur terrible. Sais-tu que cette explosion aurait pu te tuer ? Tu me comprends, te tuer ?

— Bien sûr ! Mais puisque Vic est le plus grand conducteur de machine à vapeur du monde », réplique Michel en fixant sa mère d'un air grave.

Comment lui faire comprendre que l'on ne peut dire non au meilleur conducteur de machine à vapeur du monde lorsqu'il vous offre de faire fonctionner la vôtre !

Son père intervient :

« Michel, je veux que tu te sentes responsable de tes actes. N'accuse pas ce Vic le Victorieux qui n'existe pas !

— Je vous assure qu'il existe ! proteste Michel.

— Et qu'il vole ! renchérit Pat d'un air taquin.

— Oui ! Parfaitement ! C'est vrai ! J'espère bien qu'il reviendra et que vous le verrez !

— Demain ? demande Brigitte. Si tu me le montres, je te donnerai une grosse pièce.

— Il ne viendra pas demain, explique Michel. Il faut qu'il aille se faire faire un graissage.

— Oh toi ! gronde maman. Toi aussi, tu as sûrement besoin d'un graissage, et complet par-dessus le marché. Regarde ce que tu as fait à ton étagère !

— Ces petites traces de rien du tout ? Vic te dirait qu'il n'y a pas de quoi fouetter un chat ! »

Et Michel esquisse un geste insouciant, copié sur celui de son ami, pour faire admettre à sa mère qu'il n'y a pas lieu de se désoler pour une petite brûlure. Mais Mme Sanderson ne se laisse pas impressionner.

« Ah ! il a dit ça, Vic ? Eh bien, signale-lui donc que si je l'attrape je me chargerai de le graisser de façon qu'il s'en souvienne pendant toute sa vie ! »

Michel ne répond rien. C'est affreux, pense-t-il, que sa propre mère puisse parler ainsi du meilleur conducteur de machine à vapeur du monde. Mais que peut-on attendre de bon d'un jour qui a décidé d'être un jour où tout va mal ?

A nouveau, Michel se sent très seul sans ce Vic si joyeux, si content de tout, qui agite sa petite main et déclare qu'un incendie n'est qu'une bagatelle dont il ne faut pas se soucier. Vraiment, Michel se sent seul et inquiet en même temps : que deviendrait-il si Vic ne réapparaissait pas ?

« T'en fais pas ! se dit-il. Après tout, Vic a promis de revenir. On peut avoir confiance en lui ! »

En fait, le surlendemain, alors que Michel est étendu à plat ventre sur le plancher de sa chambre, il perçoit un bourdonnement semblable à celui d'une abeille géante et Vic fait son entrée par la fenêtre. Tout en fredonnant, il parcourt la pièce. De temps à autre, il s'arrête devant un sous-verre pour mieux le regarder. Enfin, il penche la tête de côté et cligne de l'œil.

« Jolies gravures, juge-t-il. Très très jolies gravures. Mais je dirais que les miennes sont peut-être encore plus belles. »

Michel s'est relevé, tout joyeux de le revoir.

23

« Vous en avez beaucoup chez vous ?

— Plusieurs milliers. J'occupe mes loisirs à peindre : des petits coqs, des oiseaux... Je suis le meilleur peintre animalier du monde, en ce qui concerne les coqs, particulièrement, répond-il en décrivant une courbe élégante avant de se poser près de Michel.

— Vraiment ! bredouille Michel. Oh ! Que j'aimerais aller chez vous, voir vos machines à vapeur, vos peintures.

— Bien sûr ! Je t'y emmènerai. Mais pas aujourd'hui !

— Bientôt tout de même ?

— T'en fais pas ! Il faut que je mette un peu d'ordre chez moi, mais cela ira vite ! Quelle est la meilleure maîtresse de maison du monde, à ton avis ?

— Ce doit être vous !

— "Doit être ?" s'exclame Vic indigné. Allons, la meilleure maîtresse de maison du monde, c'est Vic le Victorieux. Aucun doute. »

Michel est prêt à croire que Vic est vraiment le meilleur ou la meilleure n'importe quoi ! En tout cas, c'est déjà le meilleur camarade de jeu qui soit. Christian et Suzanne sont de bons copains, mais ils sont loin d'être aussi amusants que lui.

« La prochaine fois qu'ils viennent goûter, je leur parle de lui, se promet-il. Et, pas plus tard

24

que demain, si Christian me rebat encore les oreilles des prouesses de son chien ! »

Il y a assez longtemps que Michel envie son camarade de posséder le vieux Jeffy.

« Qu'est-ce que c'est son Jeffy, comparé à Vic le Victorieux, hein ? Voilà ce que je lui dirai ! »

Mais, dans le fond de son cœur, Michel sait bien qu'il désire un chien et même qu'il ne désire rien autant au monde : un chien à lui !

Vic interrompt le cours de ses pensées.

« J'ai envie de m'amuser un peu, commence-t-il en promenant un regard curieux autour de lui. Tu n'aurais pas une autre machine à vapeur ? »

Non, Michel n'en a pas d'autre. Oh ! mais, à propos de machine à vapeur, si papa et maman arrivaient, à cet instant précis, ils ne pourraient plus douter de l'existence de Vic ! Et Pat et Brigitte non plus.

« Voulez-vous que je vous présente à mes parents ?

— Oh ! Certainement, ils auront tout à gagner de faire ma connaissance ! Pense donc, intelligent et beau comme je le suis ! »

Vic se trémousse. On croirait un coq qui va chanter.

« Et pas encore noyé dans la graisse, ajoute-t-il visiblement satisfait. Un homme dans la fleur de l'âge. Je suis sûr qu'ils seront ravis de me rencontrer ! »

C'est alors que s'échappe de la cuisine une senteur de rissoles en train de se dorer dans la friture ! On ne tardera pas à se mettre à table ! Attendons plutôt la fin du repas pour faire les présentations ! Il n'est jamais avantageux de déranger les dames lorsqu'elles surveillent des rissoles. De plus, papa et maman auraient peut-être l'idée de demander des comptes à Vic au sujet de la machine à vapeur et de l'étagère. Il ne faut pas de cela, surtout ! Pendant le dîner, Michel trouvera le moyen de leur dire comment on doit se comporter à l'égard du meilleur conducteur de machine à vapeur du monde.

Qu'on lui laisse le temps d'agir. Ensuite, tout ira bien et il amènera sa famille dans sa chambre.

« Permettez-moi de vous présenter Vic le Victorieux ! » annoncera-t-il.

Ce qu'ils seront étonnés ! Ce sera formidable à voir ! Mais Vic ne bouge plus. Il hume l'air.

« Des boulettes à la viande ! s'exclame-t-il. Oh ! J'adore ! »

Michel se mord les lèvres. Une seule réponse s'impose à ce genre de remarque : « Restez donc ! » Voilà ce qu'il devrait dire. Mais il n'ose pas. Avec Christian ou Suzanne, c'est plus simple. Même si tout le monde est déjà assis, on peut demander sans façon :

« Maman, tu veux bien que Christian et Suzanne mangent avec nous ? »

Mais on n'invite pas ainsi un inconnu, un drôle de petit bonhomme tout rond qui vous a cassé une machine à vapeur et calciné une étagère, non, ça ne se fait pas !

Il n'en reste pas moins que le drôle de petit bonhomme grassouillet vous a confié qu'il aime les rissoles. Il faut lui en offrir, sinon il ne reviendra plus. Les rissoles prennent une importance énorme !

« Attendez un instant ! Je vais vous en chercher ! »

Vic approuve avec satisfaction.

« Parfait ! Parfait ! Mais dépêche-toi ! Les gra-

vures n'ont jamais calé l'estomac de personne !
Surtout lorsqu'elles ne représentent pas de
volailles ! »

Michel ne fait qu'un saut jusqu'à la cuisine.
Maman, dans son pimpant tablier à carreaux,
est debout devant la friteuse. Elle secoue le
panier rempli jusqu'au bord de rissoles dorées.

« Nous nous mettons à table dans une minute,
Michel !

— Avant, tu permets que je prenne une ou
deux rissoles ? implore-t-il. Attends ! Je vais
chercher une soucoupe.

— Mais enfin, mon chéri !
Puisqu'on passe
à
table !

— Oh si ! maman, je t'en prie ! Tu sauras pourquoi après dîner.

— Ah bon ! Eh bien, je vais t'en donner quelques-unes. »

Elle en dépose six sur une assiette. Elles embaument, ces rissoles, cuites à point comme il se doit. Michel saisit l'assiette avec précaution et se précipite vers sa chambre.

« Ho ! Ho ! Vic ! »

Vic a disparu ! Michel et les rissoles sont seuls. Quelle déception ! Tout s'assombrit sur-le-champ.

« Il s'est enfui ! constate Michel à haute voix. Cependant...

— Coucou ! dit une voix. Coucou ! »

Michel regarde autour de lui. Là, là, au bout de son lit, sous les couvertures, il y a une bosse, une bosse qui bouge ! Une bosse qui fait « coucou ! ». L'instant d'après, Vic, tout rouge, émerge des couvertures.

« Ha, ha, ha ! Il s'est enfui ! Ha, ha, ha ! Pas du tout, je faisais semblant ! »

Puis ses yeux se posent sur les rissoles. Aussitôt, il tourne sa manette et le moteur ronronne. Vic s'élève au-dessus du lit et plonge en piqué sur l'assiette. Il saisit une rissole au passage, remonte jusqu'au plafond et se met à planer autour du petit lustre en mâchant.

« Succulent ! Merveilleux ! On croirait que

c'est le meilleur fabricant de rissoles du monde qui les a faites alors que, manifestement, ce n'est pas *lui* ! »

Il pique à nouveau et en enlève une deuxième.

« Michel ! On se met à table ! Lave-toi les mains et viens ! Dépêche-toi !

— Il faut que je vous quitte, dit Michel en posant l'assiette par terre, mais pas pour long-temps ! Promettez-moi de m'attendre !

— Je vais m'ennuyer, déclare Vic en se posant près de lui. Donne-moi un jouet. Tu n'as vraiment plus de machine à vapeur ?

— Non. Mais je vais vous prêter mon jeu de construction.

— Si tu veux. »

Michel sort d'un placard un gros coffret rempli de pièces de formes diverses qui per-mettent toutes sortes d'assemblages.

« Voilà. Vous pouvez construire des voitures, des grues, tout ce que vous voulez !

— Est-ce que tu imagines que le meilleur constructeur du monde ignore ce qui peut se faire ou ne pas se faire ? »

Il engouffre vivement une troisième rissole et se jette sur la boîte de construction.

« Voyons, voyons », fait-il en en déversant le contenu sur le sol.

Michel resterait bien là à regarder ce qui sortira des mains du meilleur constructeur du monde, mais il faut qu'il parte. Il se retourne une dernière fois en fermant la porte. Vic est assis au milieu de la pièce et il chantonne :

« Je vais faire quelque chose..., quelque chose de chouette ! Oh ! comme je m'y prends bien ! Que je suis intelligent ! Et beau..., et pas encore noyé..., gloup ! »

Gloup ! Une rissole de moins sur l'assiette !

* *
*

Papa, maman, Pat et Brigitte sont déjà à table. Michel se glisse sur sa chaise et déplie sa serviette.

« Promets-moi une chose, maman, toi aussi, papa !

— Que faut-il te promettre ? demande maman.

— Promettez d'abord, vous le saurez après. »
Papa n'apprécie pas le procédé.

« C'est bien joli, ça..., mais si tu nous redemandes un chien...

— Non, pas aujourd'hui. Remarquez que vous pourrez m'en promettre un n'importe quand ! Non, c'est autre chose. Promettez-moi que vous allez me promettre.

— D'accord, dit maman. Promis !

— Bien ! Vous venez de promettre de ne faire aucun reproche à Vic le Victorieux au sujet de la machine à vapeur, explique Michel, soulagé d'un grand poids.

— Comment veux-tu qu'ils reprochent quoi que ce soit à Vic, objecte Brigitte, puisqu'ils ne le rencontreront jamais !

— Ils le rencontreront ce soir ! triomphe Michel. Après dîner ! Pour la bonne raison qu'il est dans ma chambre en ce moment !

— Ouille ! Je m'étrangle ! s'écrie Pat. Vic est chez toi, j'ai bien entendu ?

— Oui, monsieur ! »

C'est un grand moment pour Michel. S'ils se dépêchaient davantage, ils le verraient plus tôt.

Mais maman sourit, sans bouger.

« Cela nous amusera beaucoup de voir ce Vic ! dit-elle.

— C'est exactement ce qu'il pense ! » affirme Michel.

Enfin, on parvient au dessert. Enfin, maman quitte la table. L'instant solennel est arrivé.

« Venez ! Venez tous !

— Pas besoin de me le répéter ! s'écrie Brigitte. Je suis sur des charbons ardents ! »

Michel file le premier.

« Rappelez-vous votre promesse ! recommande-t-il une dernière fois avant d'ouvrir sa porte. Pas un mot sur la machine à vapeur ! »

Il tourne la clenche, pousse le battant.

Vic n'est plus là. Pas de bosse dans le lit de

32

Michel. Il s'est éclipsé pour de bon. Par contre, au milieu de la chambre, émergeant du chaos des pièces éparpillées, se dresse une tour, une fine tour élancée. Vic aurait été capable de construire un ensemble beaucoup plus compliqué mais il s'est contenté d'empiler des blocs. Au sommet, comme pour suggérer une coupole, il a posé une petite rissole toute ronde.

Chapitre 3

Vic fait du camping

Oh ! que ça va mal pour Michel, désormais ! D'abord, maman n'aime pas qu'on utilise ses rissoles à des fins décoratives. Ensuite, elle croit que c'est son fils qui en a couronné la tour.

« Vic le Victorieux... » commence-t-il.

Mais papa l'interrompt avec sévérité.

« Michel, nous ne voulons plus entendre parler de tes inventions de Vic le Victorieux et de ses aventures imaginaires. »

Pat et Brigitte se tordent de rire.

« Quel dommage qu'il soit parti comme nous arrivions ! »

Michel mange tristement la dernière rissole et commence à ranger ses jouets. Il n'est plus indiqué de reparler de Vic. Mais comme sa chambre lui paraît vide !

« Allons prendre le café et oublions tout ça ! » propose papa en caressant la joue de son fils pour le consoler.

Chez les Sanderson, on a l'habitude de s'installer, après dîner, devant la cheminée où brûlent quelques bûches ; ce soir encore la famille se rassemble là bien qu'il fasse doux dehors et que les tilleuls de l'avenue commencent à déplier leurs petites feuilles vertes. Michel déteste le café, mais, par contre, il aime beaucoup rester au coin du feu en famille.

« Maman, ferme les yeux ! demande-t-il lorsque Mme Sanderson dépose le plateau sur une table basse.

— Pourquoi donc ?

— Parce que tu n'aimes pas me voir manger du sucre et que je vais justement en prendre un morceau ! »

Il a besoin de se réconforter. Pourquoi Vic est-il parti ? Ce n'est pas chic de se conduire ainsi, de disparaître en ne laissant derrière soi qu'une pauvre rissole.

Michel s'est assis sur son siège favori, aussi près que possible du foyer, tout contre le pare-étincelles. L'heure du café est peut-être le meilleur moment de la journée. On peut bavarder avec papa et maman, écouter Pat et Brigitte qui se taquinent continuellement et parlent de leurs études. Les établissements qu'ils fréquentent sont tout à fait différents de la petite école de Michel et infiniment plus beaux. Michel aurait aussi quelque chose à dire, parfois, mais ses histoires d'école n'intéressent que ses parents. Son frère et sa sœur pouffent de rire dès qu'il commence et il ne s'avance que prudemment afin de ne pas s'attirer leurs moqueries. Mais, de toute façon, ça ne leur rapporte pas de rire à ses dépens car il s'entend à leur rendre la pareille. Vous en feriez tout autant si vous aviez un frère comme Pat et une sœur comme Brigitte !

« Alors, Michel, tu savais tes leçons aujourd'hui ? »

Ce n'est pas le genre de question dont on raffole ! Mais comme maman n'a rien dit à propos du morceau de sucre, il ne peut pas lui en vouloir de demander cela.

« Bien sûr que je les savais », répond-il sombrement.

En réalité, il ne pense qu'à Vic. Comment peut-on exiger de quelqu'un qui ne sait où Vic est passé de parler des leçons du jour ?

« Quel cours as-tu eu ? » questionne papa.

Que c'est ennuyeux de répondre ! Pourvu que ça se termine vite !

« Un cours de sciences naturelles », dit-il vivement.

Il prend un autre morceau de sucre et ses pensées se tournent de nouveau vers son ami. Qu'ils papotent donc autant qu'ils voudront, il a l'esprit occupé par Vic et se demande ce qu'il est advenu de lui.

C'est Brigitte qui le tire de sa rêverie.

« Michel, tu m'entends ? Veux-tu gagner cinquante centimes ? »

Michel retrouve avec peine le fil de la conversation. Il n'a rien contre un gain, si petit soit-il, mais tout dépend de ce que Brigitte attend de lui.

« Cinquante centimes, c'est trop peu, dit-il avec détermination. Tout est si cher à présent ! A ton avis, combien coûte une glace à un franc ?

— Qu'est-ce que tu veux que je te dise, moi... répond-elle. Cent centimes, peut-être ?

— Exactement ! Avec cinquante, tu ne peux rien acheter !

— Oui, mais tu ne sais pas de quoi il est question. Je ne te demande pas de faire quelque chose pour moi, mais, au contraire, de ne rien faire.

— Qu'est-ce qu'il faut ne pas faire ?

— Te montrer ce soir dans la salle de séjour.

— Pierre vient, explique Pat. Tu sais bien, Pierre, le nouveau "p'tit copain" de Brigitte ! »

Michel comprend tout, les choses ont été bien organisées : papa et maman vont au cinéma, Pat a un match de football, Brigitte accapare le salon et lui, Michel, n'a plus qu'à se terrer dans sa chambre pour le modique salaire de cinquante centimes. Ah ! mon Dieu, quelle famille !

« Quel genre d'oreilles a-t-il, celui-là ? questionne-t-il. Sont-elles aussi décollées que celles du précédent ? »

Son seul but est de faire bisquer Brigitte.

« Tu l'entends, maman ! s'écrie-t-elle. Est-ce que tu saisis maintenant pourquoi je ne veux pas l'avoir dans les portes ? Il fait fuir tous les gens que j'invite, les uns après les autres.

— Mais non, voyons ! »

Maman essaie de la calmer parce qu'elle supporte mal que ses enfants se chamaillent.

« Mais si maman ! Sais-tu ce qu'il a fait à Jacques ? Il s'est planté devant lui, il l'a détaillé de la tête aux pieds. Ça a duré, duré... Puis il a fini par dire : "Brigitte trouve que tu as de moches oreilles." Après cela, on ne l'a plus revu !

— T'en fais pas ! »

Michel vient d'imiter à merveille le ton apaisant de Vic.

« T'en fais pas ! Je m'enfermerai dans ma chambre ! Gratuitement ! Je n'ai pas à être payé pour disparaître.

— Ah bon ! soupire Brigitte. Jure-moi, jure-moi que tu ne te montreras pas de toute la soirée !

— Je le jure ! tu sais, moi, je n'en pince pas pour tes prétendants. Au contraire ! Je donnerais plutôt cinquante centimes pour ne pas les voir ! »

Michel se retrouve dans sa chambre sans avoir gagné un sou. Ses parents sont allés au cinéma, Pat s'est volatilisé et, du salon, lui arrive le bruit étouffé d'une conversation, chaque fois qu'il entrouvre sa porte. Brigitte et Pierre bavardent tranquillement. Il tend l'oreille pour essayer d'entendre ce qu'ils se disent, mais sans succès. Alors il va s'accouder à sa fenêtre. Il plonge son regard dans la rue : si Christian et Suzanne étaient dehors... Mais non ! il n'y a en bas que deux grands gamins qui se battent. Pendant quelques instants, il suit la lutte avec intérêt, mais les garçons rompent vite le combat et tout redevient morne.

Mais, soudain, il entend un bruit proprement céleste : celui d'un petit moteur. Une seconde plus tard, Vic arrive en planant.

« Salut, Michel !

— Salut, Vic ! Où étiez-vous ?

— Comment ?

— Ben... Vous avez disparu... juste au moment d'être présenté à papa et à maman ! »

Vic se campe devant lui, les poings sur les hanches, d'un air offensé.

« Eh bien, c'est la meilleure ! explose-t-il. Est-ce qu'on n'a plus le droit de rentrer chez soi pour voir ce qui s'y passe ? Si les propriétaires négligeaient leurs domaines, où irait-on ? hein ? Est-ce ma faute à moi si ton papa et ta maman veulent me voir au moment précis où, moi, je m'occupe de ma maison ? »

Il jette un regard autour de lui.

« A propos de maison, où est passée ma tour ? Qui l'a démolie, ma belle tour, et qui a mangé ma rissole ? »

Michel se met à bégayer :

« J'pen..., j'pen..., j'pensais pas que vous reviendriez.

— Mais oui ! C'est ça ! Voilà où on en est : le meilleur constructeur du monde bâtit une tour. Qu'arrive-t-il après ? Se trouve-t-il quelqu'un pour la protéger par une petite barrière ? Non ! Loin de là ! On s'attaque à elle, on l'abat, on déblaie et quoi encore ? On s'approprie les rissoles des autres ! »

Vic se laisse tomber sur un tabouret, l'air boudeur.

« Y a pas de quoi fouetter un chat ! répond Michel avec un petit geste insouciant. En voilà une affaire pour une petite tour de rien du tout !

— Ah ! Tu le prends comme ça ! s'exclame Vic offensé. C'est facile de tout casser et de dire ensuite qu'il n'y a pas de quoi en faire un drame ! Mais c'était *ma* tour ! C'est moi qui l'avais édifiée de *mes* mains, de mes pauvres mains. »

Il brandit ses mains potelées sous le nez

41

de Michel et se rassoit, plus buté que jamais.

« Si ça devait continuer, j'reviendrais plus. »

Michel, désolé, reste immobile, se demandant que faire. Le silence s'installe entre eux.

« Peut-être qu'un petit cadeau me remettrait de bonne humeur, reprend enfin Vic. Je dis bien "remettrait", car ce n'est pas encore certain. »

Michel ouvre précipitamment son placard à jouets et fourrage parmi les jolies choses qu'il possède : son album de timbres, ses soldats de plomb, ses billes et ses bâtons de craie de toutes les couleurs. Il tombe sur sa belle lampe de poche qu'il aime tant.

« Est-ce que ceci vous ferait plaisir ? » demande-t-il à Vic en l'exhibant.

Vic s'en empare à la vitesse de l'éclair.

« C'est le genre de chose propre à illuminer un peu ma vie, répond-il. Évidemment, cette lampe n'est pas comparable à ma tour, mais si tu me la donnais, je crois que cela me rendrait un faible sourire.

— Elle est à vous.

— Elle fonctionne, au moins ? » demande-t-il soupçonneux en pressant sur le bouton.

L'ampoule s'allume et les yeux de Vic étincellent.

« Elle me sera très utile pour me promener sur les toits à la mauvaise saison. Je ne m'éga-

42

rerai plus parmi les cheminées », dit-il en faisant glisser ses doigts sur la torche.

Ces paroles rassurent entièrement Michel qui en même temps espère que, d'une façon ou d'une autre, il pourra accompagner Vic dans ses randonnées et le voir se servir de la torche.

« Très bien, Michel, je me sens mieux. Va chercher ton papa et ta maman.

— Ils sont au cinéma.

— Au cinéma ? Ils ne sont même pas restés chez eux à attendre mon retour ?

— Il n'y a que Brigitte dans l'appartement. Elle est dans la salle de séjour avec son nouvel admirateur et je n'ai pas le droit d'aller les déranger.

— De quoi ? Tu n'es pas autorisé à circuler librement ici ? C'est intolérable ! Allez, viens !

— J'ai promis.

— Et moi, je te promets que je fondrai sur ceux qui sont injustes, comme un faucon sur sa proie ! »

Il pose sa main sur l'épaule de Michel.

« Qu'as-tu promis exactement ?

— J'ai promis de ne pas me montrer au salon ce soir.

— Bon. Eh bien, on ne se montrera pas. Mais je suis sûr que tu es curieux de voir le nouveau chevalier servant de ta sœur !

— Pas de doute ! Celui qui venait il y a quelque temps avait les oreilles décollées comme il n'est pas permis ! J'aimerais bien savoir comment sont faites celles de son successeur !

— Eh bien, moi aussi, figure-toi ! Attends un peu que je réfléchisse. Le plus grand cerveau du monde. Qui est-ce ? Vic le Victorieux, évidemment ! Voyons, voyons. Une couverture, voilà ce qu'il nous faut ! Je savais que je trouverais un bon truc !

— Qu'avez-vous imaginé ?

— Tu vas le savoir ! Tu as promis qu'on ne te *verrait* pas dans la salle de séjour de toute la soirée. On ne te *verra* pas ! Si tu y vas dissimulé sous cette couverture !

— Bien sûr, mais...

44

— Si tu te caches, tu ne te montres pas ! Il n'y a pas de mais, tranche Vic. Et si je suis avec toi là-dessous, je ne me montre pas non plus. Tant pis pour ta sœur ! Si elle continue à se comporter si stupidement, elle n'aura pas le plaisir de me contempler, la pauvre petite ! »

Il dépouille le lit de sa couverture et se la jette sur la tête.

« Viens ! Viens sous ma tente ! » dit-il en gloussant de contentement.

Michel le rejoint.

« Ta sœur n'a pas dit qu'elle ne voulait pas voir de tente dans la salle de séjour, n'est-ce pas ? Bien. C'est toujours agréable à regarder, une tente, surtout quand elle est éclairée », ajoute-t-il en allumant la torche électrique.

Michel n'est pas certain que Brigitte trouvera cette tente-là à son goût, mais c'est si exaltant de se dissimuler sous les plis d'une couverture en compagnie de Vic et d'une torche électrique !

« On reste ici, comme on est ? propose-t-il. On joue à camper sans aller ennuyer ma sœur ? »

Vic n'est pas d'accord.

« Je n'aime pas la mauvaise foi ! Je ne tolère pas l'injustice ! Je me rendrai au salon ! Peu importent les conséquences ! »

La tente se met en route. Michel ne fait que suivre le mouvement. Une petite main en sort, empoigne le loquet et le tourne avec précaution. La tente aborde le vestibule qui n'est séparé du salon que par un épais rideau.

« T'en fais pas ! »

Sans le moindre bruit, la tente traverse le vestibule et s'arrête derrière le rideau. Le murmure des voix devient plus perceptible, bien qu'on ne puisse encore comprendre ce qui se dit. Le salon est plongé dans l'obscurité. Brigitte et Pierre se contentent sans doute de la lueur du crépuscule.

« Épatant ! murmure Vic. Ma torche n'en fera que plus d'effet ! »

Doucement, la tente quitte l'abri que lui offrait le rideau. Brigitte et Pierre sont assis sur le canapé appuyé au mur du fond et, très doucement, la tente se dirige vers eux.

« Je t'aime beaucoup, tu sais, Brigitte », dit Pierre de sa grosse voix.

« Complètement dingue ce gars ! » pense Michel.

« Vraiment ? » minaude Brigitte avant que le silence ne retombe.

La tente continue à progresser, masse informe et sombre. Elle s'avance, s'avance, silencieusement. Mais les jeunes gens assis sur le canapé ne voient et n'entendent rien.

« Et toi, m'aimes-tu ? » demande Pierre timidement.

La réponse à sa question, il ne l'aura jamais, le malheureux ! Brigitte pousse un cri terrible au moment où le puissant rayon de la torche perce la grisaille du soir et illumine le « petit copain » qui sursaute.

La tente éclate de rire et rebrousse chemin vers le vestibule. Lorsque vous venez d'être ébloui par une vive lumière, vous ne voyez plus rien. Par contre vous percevez les bruits. Brigitte et Pierre entendent rire à gorge déployée derrière le rideau.

« C'est mon démon de petit frère ! s'écrie Brigitte. Il va me le payer. »

Michel s'étrangle, à présent.

« Mais oui, mon vieux, elle t'aime bien ! crie-t-il. Pourquoi ne lui plairais-tu pas ? Ma sœur, elle aime tous les garçons ! »

Les gloussements et bruits de semelles battant le parquet reprennent à qui mieux mieux.

« T'en fais pas ! » murmure Vic lorsque au cours de leur course folle vers la chambre de Michel ils s'emmêlent les pieds dans les plis de la tente.

Michel s'applique à garder le moral, bien que Vic soit tombé sur lui, bien qu'il ait mal partout d'avoir ri et de continuer à rire, bien qu'il ne s'y reconnaisse plus dans toutes ces jambes enchevêtrées et bien qu'il s'attende à ce que Brigitte fonde sur eux. Ils réussissent à se remettre sur pied et, à toute vitesse, arrivent devant la chambre de Michel, Brigitte sur leurs talons !

« T'en fais pas ! répète Vic en forçant au maximum sur ses petites jambes. Le meilleur sprinter du monde, c'est Vic le Victorieux ! » ajoute-t-il, presque hors d'haleine.

Michel, lui aussi, redouble d'ardeur. Ils s'engouffrent dans la pièce au moment où tout semble perdu. Vic n'a que le temps de tourner la clef dans la serrure. Ils s'arrêtent, étourdis, tandis que Brigitte tambourine à la porte.

« Tu ne perds rien pour attendre ! crie-t-elle folle de colère.

— Ben quoi ! réplique Michel. Je ne me suis pas montré ! »

Les hoquets reprennent de plus belle derrière la porte fermée. Si Brigitte n'était pas hors d'elle, elle se rendrait compte qu'ils sont deux à rire !

Chapitre 4

Le pari de Vic

Un jour, Michel rentre de l'école en trombe. Il est dans une colère noire et il a une énorme bosse sur le front. La bosse met maman dans tous ses états, exactement comme Michel l'avait souhaité.

« Mon chéri, que t'est-il arrivé ? demande-t-elle en le serrant dans ses bras.

— Christian vient de me jeter un gros caillou !

— Christian ? Il a fait cela ? Oh ! le vilain ! Pourquoi n'es-tu pas venu me le dire tout de suite ? »

Michel hausse les épaules.

« Ça n'aurait servi à rien ! Tu sais lancer les cailloux, toi ? Si tu visais un mur, tu le raterais !

— Tu me vois jeter des pierres à Christian ?

— Qu'est-ce que tu voudrais lui jeter d'autre ? demande Michel. Les pierres, c'est ce qu'il y a de mieux ! »

Maman soupire. Il est certain que Christian n'est pas le seul à en lancer. Son petit Michel chéri ne vaut pas mieux que lui. Comment croire qu'un petit garçon aux yeux si bleus, au regard si charmeur, puisse être aussi un guerrier ?

« Mais enfin, vous ne pouvez pas cesser de vous battre ? dit maman. Discutez, si vous n'êtes pas d'accord. Tu sais, Michel, en parlant, on trouve toujours le moyen de s'entendre.

— Non, répond Michel. Tiens : un exemple. Hier, Christian et moi, on était justement en train de se battre...

— Il était inutile de vous battre, coupe maman. Vous auriez pu, en discutant de façon intelligente, trouver lequel de vous deux avait raison. »

Michel s'assoit près de la table et enfouit son front bosselé dans ses mains.

« Tu crois ça, maman ? Christian venait de me dire : "J'aurais pas peur de te coller mon poing sur la figure !" Moi, j'ai répondu : "T'as pas intérêt à essayer !" Explique-moi, maman, comment une discussion intelligente aurait pu arranger ça ? »

Comme maman ne peut fournir l'explication, elle renonce à son sermon. Et comme son grand guerrier de fils lui paraît en baisse de forme, elle se hâte de lui préparer un bol de chocolat avec des petits pains au lait, son régal. En arrivant, Michel avait flairé le délicieux parfum qu'ils répandent au sortir du four. Réellement les petits pains légèrement aromatisés à la cannelle, comme les fait maman, rendent la vie plus douce, c'est le moins qu'on puisse dire.

Michel mord avec contentement dans le sien, tandis que maman lui pose un pansement adhésif. Puis elle demande en l'embrassant :

« Pour quelle raison vous êtes-vous battus aujourd'hui ?

— Christian et Suzanne disaient que Vic le Victorieux est une pure invention !

— Eh bien, ils ne se trompaient pas ! »

Michel, par-dessus son bol de chocolat, lui lance un regard chargé de reproches.

« Toi, maman, tu *devrais* me croire. Je lui ai demandé, à Vic, s'il n'était pas une pure invention.

— Qu'a-t-il répondu ?

— Que si c'était vrai, il serait le plus grand inventeur du monde, ce qui est faux ! » réplique Michel en se resservant.

« Quel charabia ! pense maman sans répondre. Et quelle imagination ! On ne peut pas l'en faire démordre. »

« Par contre, Vic me dit que Chris et Suzanne, eux, en sont des inventions ! De fichues inventions, même. Je suis bien de son avis.

— Tu devrais jouer davantage avec tes petits camarades et rêver un peu moins à Vic.

— Vic, au moins, ne me lance pas de cailloux ! » marmonne-t-il en palpant sa bosse.

Puis tout à coup son visage s'illumine.

« Oh ! J'avais presque oublié ! C'est ce soir que je vais chez lui ! »

Il regrette aussitôt d'avoir parlé. Quelle stupidité d'avoir annoncé la nouvelle à sa mère !

Mais Mme Sanderson ne trouve pas cela plus alarmant que tout ce qu'il a déjà pu dire à propos de Vic et répond sans réfléchir :

« Je vois ! Tu vas bien t'amuser ! »

Si elle avait pris au sérieux les paroles de son fils et songé un instant à l'emplacement de la maison de Vic, elle aurait sûrement perdu son calme.

Rassasié et heureux, Michel quitte la table. Le monde entier lui paraît soudain magnifique. Une délicieuse saveur de cannelle lui reste dans la bouche, sa bosse ne lui fait plus mal, le soleil brille derrière les vitres et sa maman est si jolie ! Il la prend par le cou et la serre très fort pendant quelques secondes.

« Je t'aime, maman chérie !

— Oh ! que j'en suis ravie !

— Je t'aime parce que tu fais tant de bonnes choses ! »

Puis il va s'enfermer dans sa chambre pour attendre Vic. Aujourd'hui, il monte sur le toit avec lui ! Qu'est-ce que cela peut faire que Chris dise qu'il n'est qu'une pure invention !

* *
*

Pauvre Michel ! Il attend, attend...

Vic avait dit :

« Je viendrai sur les coups de trois heures,

ou de quatre, ou peut-être même de cinq, à moins que ce ne soit vers six heures. »

Michel n'avait pas bien compris et lui avait demandé de répéter.

« Je n'arriverai certainement pas plus tard que sept heures. Bon... juste avant huit, d'accord ? Redouble cependant d'attention en fin de soirée, car c'est à ce moment-là qu'aura lieu l'événement. »

Et Michel attend ! Il attend depuis des siècles. Il commence à se dire que sa maman a raison et que Vic n'existe pas. Mais, soudain, le bourdonnement familier se fait entendre et Vic, frais et dispos, se présente à la fenêtre.

« Vous m'avez fait joliment patienter ! grogne Michel qui a presque envie de se fâcher. Quand avez-vous promis d'arriver ?

— Je t'ai dit "sur les coups de" et aussi "vers". Donc, je suis à l'heure ! »

Il se dirige vers l'aquarium, y plonge la tête et boit à grand bruit.

« Hé ! » s'écrie Michel, alarmé.

Supposez que Vic aille gober ses petits poissons rouges qui tournoient dans l'eau !

« Quand on a de la fièvre, déclare Vic, il faut boire en grande quantité, d'un seul coup ! Pas à petites gorgées. Si un poisson y passe, ou même deux, il n'y a pas de quoi fouetter un chat !

— Vous avez de la fièvre ?

— Si j'en ai ! » s'exclame Vic en saisissant la main de Michel pour se la poser sur le front.

Michel ne le trouve pas brûlant.

« Quelle température pouvez-vous avoir ?

— 45 °... facilement... ! » affirme Vic.

Michel a eu la rougeole, il y a peu de temps. Être fiévreux, il sait ce que c'est. Il secoue la tête.

« A mon avis, vous n'êtes pas malade !

— Méchant ! s'écrie Vic en tapant du pied. N'ai-je pas le droit d'être malade, comme tout le monde ?

— Vous voulez être malade ? questionne Michel surpris.

— Hé oui ! Comme tout le monde ! répond Vic. Je veux rester au lit, je veux avoir beaucoup, beaucoup de fièvre. Alors, toi, tu me demanderas comment je me sens, tu diras que je suis le plus grand malade du monde et tu chercheras à savoir ce qui me ferait plaisir. Moi, je te répondrai que je suis si mal en point que je ne veux rien du tout, sauf quelques tartelettes, des biscuits secs, du chocolat et un kilo de caramels. »

Vic le fixe avec l'air d'attendre quelque chose et Michel se demande où il va pouvoir trouver de quoi le satisfaire.

« Je veux, poursuit Vic, que tu sois une vraie maman pour moi, que tu insistes pour que j'avale d'horribles médicaments. Mais il faudra que tu me donnes cinquante centimes pour que je les prenne. Et puis, tu me mettras une écharpe de laine autour du cou. Je dirai qu'elle me gratte, mais si tu me donnes cinquante centimes de plus, elle ne me grattera plus. »

Michel veut bien être une vraie maman pour Vic, mais cela va l'obliger à vider sa belle tirelire si lourde qui est sur l'étagère. Il descend chercher un couteau à la cuisine avec lequel, à contrecœur, il commence à en extraire les pièces.

Vic, enthousiasmé, lui vient en aide et se

récrie de joie à chaque fois que tombe une nouvelle pièce. Il y en a beaucoup de petites, quelques grosses aussi, mais ce sont les petites qu'il préfère.

Puis Michel repart, quatre à quatre, s'engouffre dans une confiserie et dépense presque toute sa fortune en bonbons et en chocolat. Il pose ses pièces sur le comptoir en pensant au temps qu'il a mis à les épargner afin de s'acheter un chien, et il pousse un gros soupir. Mais il se dit qu'on ne peut être à la fois une vraie maman pour Vic et un bon maître pour un chien.

Les poches bourrées de caramels, il traverse furtivement la salle de séjour où papa, maman, Pat et Brigitte prennent le café. Aujourd'hui, il n'a pas une minute à passer avec eux ! Et... s'il leur disait de venir voir Vic ? Non, s'ils le suivaient, il ne pourrait pas monter sur le toit avec lui. L'occasion de le rencontrer se retrouvera plus tard ! Michel s'empare de deux macarons — Vic a dit qu'il aime les gâteaux — et il remonte à sa chambre en toute hâte.

« Je t'attends depuis des heures ! commence Vic d'un air contrarié. Rester seul... Malade comme je le suis... Ma fièvre monte de plusieurs degrés de minute en minute ! On pourrait faire cuire un œuf sur la paume de ma main.

— Je me suis dépêché autant que j'ai pu,

proteste Michel. J'ai acheté une quantité de...

— Tu n'as pas dépensé tout ton argent, j'espère ! Il te reste bien cinquante centimes pour l'écharpe qui chatouille ? » demande Vic, ombrageux.

Michel le rassure. Il a conservé une ou deux pièces. Un éclair joyeux passe dans les yeux de Vic qui se trémousse de contentement.

« Je suis le plus grand malade du monde ! répète-t-il cependant. Il faut que tu me mettes au lit ! »

Ce n'est qu'à cet instant que Michel commence à se demander comment il ira sur le toit puisqu'il ne sait pas voler.

« T'en fais pas ! Je te charge sur mon dos et on s'en va ! Tout ira bien à condition que tu ne fourres pas tes doigts dans l'hélice.

— Vous croyez que vous pourrez me porter ?

— On verra bien ! Aurai-je seulement la force de faire la moitié du chemin, faible comme je le suis ? Mais on y arrivera ! Si je cale en route, je te fais basculer par-dessus bord ! »

Michel n'a pas l'impression que basculer par-dessus bord soit excellent pour lui.

« Mais ça ira ! reprend aussitôt Vic qui le voit effrayé. Ça ira à merveille, surtout si mon moteur ne tombe pas en panne !

— S'il tombe en panne, nous irons nous écraser sur le sol, n'est-ce pas ?

— Penses-tu ! On risque tout au plus de se salir un peu ! Pas de quoi fouetter un chat ! » s'exclame Vic en agitant sa petite main.

Michel se force à le croire. Il écrit un petit mot pour ses parents et le laisse sur la table.

Je suis sur le toit avec mon ami Vic.

L'idéal, bien sûr, serait de rentrer avant qu'ils ne le découvrent. Mais si, par hasard, ils le cherchent, il vaudra mieux qu'ils sachent où il est. Sinon, on se retrouverait dans la même situation qu'un jour, alors que la famille était en vacances à la campagne, où Michel avait décidé de repartir par le train, tout seul. Personne ne savait où il était et lorsque, penaud, il avait regagné la maison, sa mère lui avait dit en pleurant :

« Michel, si tu voulais prendre le train, pourquoi ne pas m'en avoir parlé ?

— Justement, parce que je voulais prendre le train ! »

Eh bien, ce soir, c'est pareil ! Il veut monter sur le toit. Mieux vaut donc ne pas en parler avant. Si on s'apercevait ensuite de son absence, il pourrait toujours dire à sa décharge qu'il n'était pas parti sans dire où il allait.

Vic est prêt pour le décollage. Il tourne sa petite manette et le moteur ronfle.

« Saute sur mon dos, crie-t-il. On part ! »

Sitôt dit, sitôt fait. Ils franchissent la fenêtre et s'élèvent rapidement. Vic survole la gouttière la plus proche pour s'assurer que le moteur fonctionne bien.

« Pttt ! Pttt ! » fait le moteur sans à-coups.

Michel, pas impressionné, s'amuse énormément. Pour finir, Vic se pose sur le toit de l'immeuble où habitent les Sanderson.

« Seras-tu capable de découvrir ma maison ? Je ne te dis pas qu'elle est juste derrière la cheminée, ainsi tu la trouveras tout seul ! »

Michel pose le pied sur un toit pour la première fois de sa vie. Mais il a déjà vu des hommes travailler là-haut, en hiver, lorsqu'il faut déblayer la neige. Il a toujours pensé qu'ils avaient beaucoup de chance d'être autorisés à monter sur les toits et à aller et venir, protégés par leurs ceintures de sécurité. Eh bien, voilà qu'il a la même chance qu'eux ! Mais comme il n'est pas encordé, il sent son estomac se contracter tandis qu'il s'avance en titubant vers la cheminée. La petite maison de Vic est là, toute jolie avec ses entourages de fenêtres peints en vert et son perron sur lequel on peut s'asseoir. Michel est impatient de pénétrer à l'intérieur pour voir les machines à vapeur, les tableaux représentant des coqs et les autres choses dont Vic lui a parlé.

Sur la porte se trouve une pancarte pour expliquer qui habite là :

VIC LE VICTORIEUX
LE MEILLEUR VIC DU MONDE

Vic ouvre sa porte toute grande et s'écrie :
« Sois le bienvenu chez toi, mon cher Vic et..., toi aussi Michel Sanderson ! »

Puis il entre comme un boulet.

« Vite au lit ! s'écrie-t-il, puisque je suis le plus grand malade qui soit ! »

Tête la première, il plonge sur un grabat peint en rouge, placé contre un mur.

Michel le suit, dévoré de curiosité. La maison lui paraît très agréable. En plus du lit, il y a un banc qui sert aussi de table de travail, un buffet, deux tabourets et un âtre. C'est là que Vic fait sa cuisine. Mais Michel n'aperçoit pas de machines à vapeur. Il a beau regarder autour de lui avec attention, il n'en voit pas une seule.

« Où mettez-vous vos machines à vapeur ? demande-t-il.

— Mes machines à vapeur..., mmm... elles ont toutes explosé ! Toutes, jusqu'à la dernière ! Un défaut dans les soupapes. Mais il n'y a pas de quoi fouetter un chat et tu ne vas pas t'en faire pour si peu ! »

62

Michel parcourt à nouveau la pièce du regard.

« Et vos tableaux ? Ils ont explosé aussi ? questionne-t-il moqueur.

— Non, évidemment, répond Vic. Qu'est-ce que tu vois là-bas, si ce n'en est pas un ? » ajoute-t-il en montrant du doigt une feuille de papier coincée entre le mur et le buffet, au bas de laquelle on aperçoit un coq, un minuscule coq rouge. Sur le reste du papier, il n'y a rien.

« J'ai appelé cette œuvre : *Coq solitaire* », dit encore Vic.

Michel contemple le petit coq. Comment les milliers de tableaux annoncés par Vic peuvent-ils se ramener à cette unique caricature ?

« Un pauvre petit coq, vraiment seul, pleur-niche Vic, immortalisé par le meilleur peintre animalier du monde ! Oh ! que ce portrait est réussi ! Il vous arrache les larmes ! Mais il ne faut pas que je cède à l'émotion parce que ça ferait monter ma fièvre ! »

Vic se laisse aller sur ses oreillers et porte ses petites mains à son front.

« Tu m'avais promis, n'est-ce pas, d'être une mère pour moi ? Alors, fais la maman ! »

Michel ne sait trop comment s'y prendre.

« Avez-vous des médicaments ? demande-t-il sans croire à une réponse affirmative.

— Oui, mais je ne veux pas de ceux-là ! déclare Vic. Tu n'as pas perdu ton argent ? »

Michel sort une petite pièce de sa poche.

« Donne-la-moi pour commencer. »

Michel la lui tend. Vic referme la main dessus en arborant une expression rusée et satisfaite.

« Je sais quel médicament il me faut !

— Ah ! Lequel ?

— La potion miracle et croustillante de Vic le Victorieux dont voici la composition : moitié bonbons, moitié chocolat. Tu agites le tout et tu termines par quelques biscuits émiettés. Si tu me la prépares, je la prendrai sans attendre : ça fait descendre la température !

— J'ai du mal à le croire !

— Je te parie une gaufrette pralinée que j'ai raison. »

Michel se demande si c'est à ce genre de conversation que pense maman lorsqu'elle recommande les discussions intelligentes.

« Alors, on parie ?

— D'accord ! »

Pour prouver sa bonne foi, Michel pose deux gaufrettes sur le banc. Puis il prépare la mixture selon la recette de Vic : dans une tasse, il mélange en proportions égales des morceaux de chocolat avec des bonbons acidulés, des pâtes de fruits à la framboise et des caramels au beurre.

Enfin, il saupoudre le tout de macarons pilés. Jamais il n'a vu semblable médecine, mais cela paraît bon. Pour un peu, il souhaiterait aussi avoir de la fièvre pour y goûter !

Assis sur son lit, la bouche ouverte comme un oisillon au nid, Vic attend son remède. Michel se hâte de lui en administrer une cuillerée.

« Encore ! » ordonne Vic.

Michel obéit. Puis, sans bouger, ils attendent pendant quelques secondes que la fièvre de Vic diminue. Mais Vic déclare bientôt :

« C'est toi qui as gagné ! Je ne vais pas mieux ! Donne-moi la gaufrette !

— Comment ? se récrie Michel. Puisque j'ai gagné !

— Puisque tu as gagné, justement, et que j'ai perdu, il me semble que je mérite la gaufrette à titre de consolation ! réplique-t-il. Tu n'es qu'un vilain gourmand ! Alors que je suis si malade, toi, tu ne penses qu'à t'empiffrer ! »

A regret, Michel tend la gaufrette à Vic qui mord dedans.

« Ne fais pas une tête pareille ! reprend-il la bouche pleine. La prochaine fois, c'est moi qui gagnerai et c'est toi qui auras l'autre ! »

Vic se renverse sur ses oreillers et pousse un soupir déchirant.

« Pauvre de moi ! Pauvre malheureux que je suis ! Je pourrais, bien sûr, absorber une double dose de la potion miracle et croustillante mais je crois qu'elle ne fera pas d'effet, hélas !»

Michel saute sur l'occasion.

« Allons donc ! Je suis sûr qu'une double dose agira ! dit-il vivement. On parie ? »

Lui non plus ne manque pas d'habileté : il ne pense pas que la potion soit efficace, même prise à haute dose, mais il désire perdre le pari ! La dernière gaufrette lui reviendra !

« D'accord, admet Vic. On parie ! Double dose ! Quand on a tant de fièvre, il faut employer les grands moyens ! »

Michel double les proportions et redonne la becquée à Vic qui l'avale joyeusement, cuillerée par cuillerée. Puis ils recommencent à attendre. Une demi-minute s'est à peine écoulée que Vic saute de son lit, le visage rayonnant.

« Miracle ! s'écrie-t-il. La fièvre est tombée d'un coup ! Michel, tu gagnes pour la deuxième fois ! Donne-moi la gaufrette ! »

Michel la lui abandonne d'un air renfrogné.

« Un mauvais joueur de ton espèce ne devrait jamais parier, juge Vic en lui jetant un regard plein d'indignation. C'est bon pour des gens comme moi qui savent perdre avec élégance ! »

Pendant quelques instants, le silence règne entre eux, troublé seulement par le bruit des mâchoires de Vic.

« Écoute, puisque tu es si gourmand, parta-
geons ce qui reste, honnêtement. Tu as encore
des bonbons, je suppose ? »

Michel tâte ses poches.

« Plus que trois, dit-il. Deux caramels et une
pâte de fruits.

— Trois ? Ça ne se divise pas par deux ! On
apprend ça au jardin d'enfants ! »

Il se saisit de la pâte de fruits et l'engloutit.

« Voilà ! Maintenant, on peut partager. »

A le voir examiner les deux caramels, on le
croirait affamé. Il y en a un plus gros que
l'autre.

« Je vais être gentil : je te laisse choisir. Mais
tu sais que lorsqu'on se sert le premier, on
prend la plus petite part. La politesse l'exige ! »
achève-t-il l'œil sévère.

Michel réfléchit.

« Eh bien, non, je préfère que ce soit vous,
dit-il finement.

— Oh ! très bien ! Quel têtu ! » s'exclame Vic
en s'emparant du plus gros des deux.

Michel considère le petit bonbon qu'il a dans
la main.

« Vous venez de dire que celui qui choisit
doit prendre le plus petit, n'est-ce pas ?

— Écoute, vilain gamin, si tu avais choisi le
premier, lequel aurais-tu pris ?

— Le plus petit.

— Alors de quoi te plains-tu ? triomphe Vic. Tu as celui qui te revient ! »

Michel se dit que sa maman ne trouverait certainement pas ces arguments raisonnables. Mais la mauvaise humeur ne dure jamais long-temps chez lui. L'essentiel, c'est que son ami aille mieux. Vic, qui partage cette opinion, s'écrie :

« Je vais adresser une lettre circulaire aux médecins pour leur faire connaître mon remède !

« *Expérimentez la potion miracle et croustil-lante de Vic le Victorieux, la meilleure potion du monde contre la fièvre !* »

Michel n'a pas touché à son caramel. Bien que petit, il paraît si dur et si savoureux qu'il désire le contempler encore un peu avant de le croquer. Mais Vic le regarde aussi. On peut même dire qu'il le dévore des yeux. Tout à coup, il penche la tête de côté.

« Parions que je fais disparaître ton caramel sans que tu t'en aperçoives !

— Impossible ! Je le tiens et je le surveille.

— On parie ?

— Non. Parce que je gagnerai encore et vous me le prendrez. »

Il estime d'ailleurs que cette façon de faire n'est pas loyale ; cela ne se passe jamais ainsi lorsqu'il engage un pari avec Pat ou Brigitte.

« Parions comme on le fait habituellement,

propose Michel. Il faut que l'enjeu revienne au gagnant.

— Comme tu voudras, petit gourmand ! concède Vic. Parions donc que je fais disparaître ce caramel sans que tu t'en aperçoives.

— Pari tenu !

— *Hocus, pocus, filiocus* ! chantonne Vic en raflant le bonbon. *Hocus, pocus, filiocus*, poursuit-il en se le mettant dans la bouche.

— Stop ! Je vous ai vu le faire disparaître !

— Vraiment ? rétorque Vic en se dépêchant de le mâcher. Formidable ! Tu as encore gagné ! Tu gagnes tout ce que tu veux, toi !

— Oui, mais, le caramel, murmure Michel décontenancé, il devait me revenir.

— Certes ! Mais maintenant que je l'ai fait

disparaître, je te parie que je ne pourrai jamais le faire réapparaître ! »

Michel reste silencieux. Il se promet de dire à sa maman que lorsqu'on veut savoir qui a raison, les arguments raisonnables ne servent pas à grand-chose. Il plonge une main dans sa poche vide. Vide ? Non ! Tout au fond, il sent un autre caramel qu'il n'avait pas remarqué. Un merveilleux gros caramel qui doit vous emplir la bouche ! Il éclate de rire.

« Je parie qu'il y a encore un bonbon dans ma poche ! Et je parie que je vais le manger ! » s'écrie-t-il en joignant le geste à la parole.

De son lit, Vic le fusille du regard. « Dire que tu prétendais être une maman pour moi ! Et qu'est-ce que tu fais ? Tu te bourres de sucreries ! Jamais je n'ai vu plus glouton que toi ! »

Il prend un air malheureux et se tait... pas pour longtemps !

« J'y pense, s'exclame soudain Vic, tu me dois cinquante centimes pour l'écharpe qui chatouille !

— Ben, vous n'avez pas d'écharpe !

— C'est vrai. Mais si j'en avais eu une, je l'aurais nouée autour de mon cou ; elle m'aurait gratouillé et tu m'aurais donné cinquante centimes... »

Les larmes jaillissent de ses yeux.

« Faut-il donc que je sois privé de tout parce qu'il n'y a pas d'écharpe chez moi ? »

Michel ne peut supporter de voir souffrir son ami et il s'empresse de déposer sa dernière pièce de monnaie dans la petite main tendue.

Chapitre 5

Les bons tours de Vic

« Maintenant que je suis guéri, déclare Vic, j'ai envie de m'amuser un peu. Si on faisait une promenade sur les toits du voisinage ? Je t'assure qu'on y trouve toujours de quoi rire ! »

Michel ne demande pas mieux. Vic le prend par la main et ils quittent la maison. La nuit va tomber bientôt et le spectacle est superbe. Sous le ciel d'un bleu si particulier au printemps, toutes les maisons prennent un air mystérieux qui excite l'imagination. En contrebas, le jardin public où Michel va souvent jouer est d'un vert sombre et brillant, et la délicieuse senteur du peuplier baumier qui pousse dans le jardin de Michel monte jusqu'à eux.

C'est une soirée idéale pour se promener sur

les toits. De nombreuses fenêtres sont restées ouvertes et toutes sortes de bruits ou de voix parviennent à Michel et Vic. Ils entendent des gens qui parlent, des enfants qui rient, des enfants qui pleurent, des cliquetis de vaisselle, des jappements de chiens. Quelque part quelqu'un joue du piano, ailleurs encore on met une mobylette en route. Lorsque les bruits de la rue s'apaisent, le pas d'un cheval attelé leur succède et chaque clop, clop, résonne dans les tuiles.

« Si les gens savaient comme on est bien ici, plus personne ne voudrait marcher dans les rues, fait remarquer Michel.

— Ah oui alors ! renchérit Vic. C'est très amusant aussi parce que l'on est toujours à la merci d'une chute. Je te montrerai quelques endroits où l'on manque de tomber à chaque fois qu'on y passe ! »

Les maisons se touchent généralement et il est facile de passer d'un toit à l'autre. De plus, il y a une telle quantité d'étranges pignons, de greniers superposés, de cheminées, de crochets et de renfoncements que le spectacle se renouvelle sans cesse. Et c'est sensationnel de glisser de temps à autre. Il y a même un espace, entre deux maisons, qui forme un puits. Vic n'a que le temps de retenir Michel au moment où il a déjà un pied dans le vide.

« Rigolo, hein ? s'exclame Vic. Voilà ce que je voulais que tu connaisses ! On recommence ? »

Non ! Michel n'en a pas envie. Il a frôlé le danger de trop près et manqué de tomber de trop peu ! Plus loin, il faut s'arc-bouter des genoux et des coudes pour ne pas perdre l'équilibre, et comme Vic désire que Michel s'amuse le plus possible, il choisit les itinéraires les plus difficiles !

« A présent, on va jouer quelques bons tours aux gens qui habitent dans les mansardes. Ça me plaît bien d'aller les taquiner le soir.

— De quelle façon ?

— Ah ! Jamais de la même ! Je ne répète pas une plaisanterie ! Le plus grand taquin du monde, devine qui c'est ? »

A ce moment précis, tout près d'eux, un bébé se met à pleurer. Michel l'avait déjà entendu un peu plus tôt, mais il s'était calmé. Il avait dû s'assoupir et voilà qu'il se réveille. Les cris proviennent d'une mansarde juste sous leurs pieds. Des cris d'un bébé qu'on a laissé seul, sous un toit, c'est déchirant !

Michel s'apitoie.

« Le pauvre petit ! Il n'a peut-être pas fait son rot !

— On va y remédier, décide Vic. Viens avec moi ! »

Ils rampent dans la gouttière et atteignent la fenêtre. Vic passe la tête par l'entrebâillement, avec d'infinies précautions, et jette un coup d'œil à l'intérieur.

« Pauvre bébé abandonné ! Papa et maman sont partis en promenade, hein ? »

Les cris redoublent.

« T'en fais pas ! lui recommande Vic en exécutant un rétablissement par-dessus le rebord de la fenêtre. Voilà Vic, la meilleure nounou du monde ! »

Michel ne veut pas rester seul sur le toit. Il enjambe la fenêtre à son tour en se demandant avec inquiétude ce qui se produirait si les parents rentraient. Vic, lui, ne se fait pas le moindre souci. Il s'avance jusqu'au berceau et d'un doigt relève le menton du bébé.

« Pouti, pouti, pouti ! » dit-il en prenant un air espiègle.

Puis il se retourne vers Michel.

« C'est comme ça qu'on leur parle. Ça leur plaît. »

Le bébé, surpris, interrompt momentanément ses cris, mais hurle de plus belle dès qu'il a repris sa respiration.

« Pouti, pouti, pouti. Après, il faut faire ça. »

Il soulève le bébé à bout de bras, le ramène à la hauteur de son visage et recommence. Le petit doit trouver le mouvement d'ascenseur à son goût car, tout à coup, il sourit, d'un petit sourire timide qui montre ses gencives sans dents.

Vic resplendit de fierté.

« C'est si simple de les consoler, ces petits anges ! dit-il. La meilleure nounou du mon... »

Il s'interrompt, car le bébé se remet à hurler.

« Pouti, pouti, pouti ! reprend-il quelques secondes plus tard en le berçant rageusement. Pouti, pouti, j'ai dit. T'entends, oui ou non ? »

Le bébé pousse maintenant des cris épouvantables et Michel lui tend les bras.

« Donnez-le-moi... »

Il aime les tout-petits. N'a-t-il pas demandé à ses parents s'il ne pourrait pas avoir une petite sœur pour le cas où ils persisteraient à lui refuser un chien ?

Il retire le léger fardeau emmailloté des bras de Vic et le serre contre sa poitrine.

« Ne pleure plus ! Oh ! le beau bébé, bien sage ! »

Le bébé s'apaise, pose sur lui un regard grave, lui sourit de toutes ses gencives et commence à roucouler.

« Tu vois l'effet de mes pouti, pouti ? dit Vic. Ça ne rate jamais. Je l'ai constaté des milliers de fois.

— Comment peut-il s'appeler ? se demande

Michel en flattant d'un doigt la petite joue ronde.

— Roudoudou, répond Vic. Ils s'appellent presque tous comme ça. »

Michel n'a jamais rencontré d'enfant prénommé Roudoudou, mais il se dit que la meilleure nounou du monde en sait forcément plus long que lui sur ce sujet.

« Roudoudou, déclare Michel, je suis sûr que tu as faim ! »

Il vient de s'apercevoir que Roudoudou lui a pris le doigt et cherche à le sucer.

« Si Roudoudou a faim, il y a de la saucisse et de la purée pour lui, par ici, annonce Vic. Tous les nourrissons se régalent lorsque Vic a la chance de dénicher un plat de saucisses ! »

Michel pense qu'un si petit enfant ne mange ni purée ni saucisse.

« A cet âge-là, ils ont besoin de lait, dit-il.

— Tu crois peut-être que la meilleure nounou du monde ne sait pas ce qui convient ou ne convient pas à un petit de cet âge ? Je vais aller chercher une vache ! Zut ! Elle ne passera jamais par la fenêtre ! »

Roudoudou s'accroche au doigt de Michel en poussant des petits cris. On croirait entendre un chaton. Il doit avoir très faim !

Michel inspecte la cuisine. Pas de lait. Il ne

trouve que trois rondelles de saucisse froide sur une assiette.

« T'en fais pas ! Ça me revient ! Je sais où trouver du lait ! De temps en temps, je m'en offre une rasade quand je passe par là ! Salut ! Je suis ici dans deux minutes ! »

En un clin d'œil Vic a tourné sa manette et disparu par la fenêtre ouverte. L'effroi envahit Michel. Que se passerait-il si Vic s'absentait pour deux heures ou plus, selon son habitude, ou si les parents rentraient et le trouvaient avec leur Roudoudou dans les bras ?

Mais les craintes de Michel ne durent pas. Cette fois, Vic s'est dépêché. Fier comme un paon, il rapporte un biberon.

« Où avez-vous trouvé cela ? demande Michel stupéfait.

— A ma crémerie habituelle. Un balcon.

— Vous l'avez volé ?

— Emprunté.

— Emprunté ! Quand irez-vous le reporter ?

— Jamais ! »

Michel l'écrase d'un regard réprobateur, mais Vic fait claquer ses doigts.

« Il n'y a pas de quoi fouetter un chat pour un petit biberon de rien du tout ! Les gens à qui je l'ai emprunté ont des triplés, tu te rends compte ! Ils mettent des douzaines et des douzaines de biberons au frais dans des baquets pleins de glace sur leur balcon. Ça leur a fait grand plaisir que j'en prenne un pour Roudoudou. »

Roudoudou tend les mains vers le biberon avec des petits cris plaintifs.

« Attends que je le fasse réchauffer ! » dit Michel.

Il redonne Roudoudou à Vic, et Vic refait pouti, pouti, pouti en le berçant vigoureusement tandis que Michel s'occupe à la cuisine.

Quelques minutes plus tard, Roudoudou dort à poings fermés comme un chérubin. Il est rassasié. Michel le borde, Vic le chatouille en glapissant quelques pouti, pouti, pouti de plus mais rien ne peut le réveiller.

« On va quand même leur jouer un tour avant de s'en aller ! » décide Vic. Il s'empare des rondelles de saucisse froide qui traînent sur une assiette. Michel écarquille les yeux.

« Regarde, dit-il en accrochant un morceau de saucisse à la clenche de la porte. Et d'un ! N'est-ce pas une excellente plaisanterie ?

« Et de deux ! » annonce-t-il en se dirigeant vers le bureau où trône une ravissante colombe de porcelaine.

Avant que Michel ait percé ses intentions, la colombe a le deuxième morceau de saucisse dans le bec.

« Et de trois ! continue Vic. Le troisième, c'est pour toi, mon Roudoudou ! »

Il embroche le dernier morceau sur un crayon qu'il fourre dans le poing du bébé endormi. C'est irrésistible ! On croirait que Roudoudou lui-même est allé se servir et s'est endormi, la rondelle de saucisse dans la main.

Michel ne peut s'empêcher de protester.

« Non, je vous en prie ! Pas cela !

— T'en fais pas ! Je compte là-dessus pour faire comprendre aux parents de notre Roudoudou qu'il ne faut pas le laisser seul le soir, voilà !

— Ah ! Comment ?

— Eh bien, ils se diront qu'un jeune enfant capable d'aller se chercher une rondelle de saucisse ne doit jamais rester sans surveillance. Imagine ce qu'il peut prendre la prochaine fois ? La bouteille de bière que son papa se met de côté pour le dimanche ? »

Il assure fermement le morceau de saucisse dans la main dodue du bébé.

« T'en fais pas, je m'y connais, puisque je suis la meilleure nounou du monde. »

A ce moment, un bruit de pas dans l'escalier de l'immeuble fait sursauter Michel.

« Les voilà ! souffle-t-il, terrorisé.

— T'en fais pas ! »

Ils se précipitent tous les deux vers la fenêtre.

On enfonce la clef dans la serrure. Michel se croit perdu mais, tant bien que mal, il regagne le toit. Une seconde plus tard, il entend la porte s'ouvrir et une voix s'élève :

« Qu'est-ce qu'elle fait la petite Fanny à sa maman ? Oh ! comme elle dort bien !

— En effet », dit une deuxième voix.

Puis aussitôt Michel entend une exclamation effarée qui lui annonce que les parents de Fanny-Roudoudou viennent de découvrir le morceau de saucisse !

*
* *

Il ne perd pas de temps à attendre la suite, mais se hâte de rejoindre la meilleure nounou du monde qui s'est dissimulée derrière une cheminée.

« Ça t'amuserait de faire connaissance avec des gredins ? demande Vic lorsqu'ils ont repris leur souffle. J'en ai deux dans la mansarde là-bas. »

Vic en parle comme s'ils lui appartenaient, ce qui n'est pas le cas. Michel a tout de même grande envie de voir quelle tête ils ont. D'ailleurs des éclats de voix et de gros rires s'échappent de leur repaire.

« On ne s'ennuie pas, par là, constate Vic. Allons voir ce qui est donc si drôle ! »

Ils repartent en rampant le long de la gouttière. Vic risque un coup d'œil à l'intérieur.

« Mes gredins ont de la visite ! »

Michel guigne à son tour. Dans la pièce se trouvent deux hommes qui paraissent bien être les deux vauriens et un autre personnage sympathique et timide qui semble arriver tout droit de sa campagne.

« Je vais te dire ce que je pense, murmure Vic. Mes deux brigands se préparent à jouer de mauvais tours. Il faut que nous les empêchions d'agir ! »

Il jette un nouveau coup d'œil dans la pièce.

« Je te parie qu'ils s'apprêtent à dévaliser le pauvre bonhomme à cravate rouge. »

Les deux compères et le brave homme à cravate rouge, assis à une table non loin de la fenêtre, sont en train de festoyer et les gredins envoient de grandes tapes amicales au petit bonhomme en s'écriant :

« Quelle chance pour nous que tu sois là, cher vieil Oscar !

— Quelle chance pour moi de vous avoir rencontrés ! réplique Oscar. Comprenez, quand on arrive dans une grande ville comme celle-ci, on est bien content de trouver des gens sur qui compter ! Sinon, on peut tomber sur des filous, sans s'en douter !

— Oh ça oui ! approuve l'un des gredins. Tu

84

l'as dit. On peut tomber sur des voleurs ! Ça oui ! T'as de la veine qu'on t'ait abordé, Riri et moi !

— Ça oui ! fait l'autre en écho. Si on ne s'était pas proposés, Toto et moi, pour te piloter, il aurait pu t'arriver de sérieux ennuis ! Pour l'instant, bois, mange, et prends du bon temps ! » poursuit-il en lui envoyant une nouvelle claque sur l'épaule.

Puis il prolonge son geste d'une façon qui surprend Michel : comme par hasard, sa main descend jusqu'à la poche revolver d'Oscar et en extirpe un portefeuille qu'il glisse aussitôt dans sa propre poche, à l'insu du bonhomme parce que, au même instant, Toto, de son côté, assenait une deuxième claque retentissante sur les omoplates du pauvre crédule tout en lui subtilisant discrètement sa montre. Alors Vic glisse sa petite main entre les rideaux et retire à Riri le portefeuille qu'il a volé ! Riri n'y prend pas garde. Puis la main menue de Vic sort la montre de la poche arrière de Toto et Toto ne remarque rien !

Le repas bien arrosé se poursuit et, tout à coup, Riri porte sa main à sa poche. Il s'aperçoit que le portefeuille n'y est plus. La colère lui monte à la tête subitement et il apostrophe son complice.

« Hé ! Toto, viens un peu avec moi à côté parce que j'ai deux mots à te dire. »

Toto, à cet instant, tâte sa poche et découvre que la montre a pris la clef des champs. La colère l'envahit d'un coup et il se retourne contre Riri.

« Pas de refus ! parce que moi aussi, j'ai deux mots à te dire ! »

Les deux compères passent dans la pièce voisine, laissant tout seul le pauvre Oscar. A la longue, Oscar finit par s'ennuyer ; il se lève pour aller voir ce que font Toto et Riri. Vic enjambe précipitamment la fenêtre, va cacher le portefeuille dans la soupière vide et suspend la montre au lustre. Elle se balance encore gaiement lorsque les trois hommes reviennent et c'est la première chose qui frappe leur regard. Par contre, ils ne voient pas Vic qui s'est embusqué sous la table dont la nappe descend presque jusqu'au sol. (Vic n'est pas seul : Michel l'a suivi afin de ne pas être séparé de son ami, même si la situation doit devenir périlleuse.)

« Par exemple ! Ma montre ! s'exclame Oscar. Comment a-t-elle fait pour s'accrocher là-haut ? »

Il la détache et la replace dans son gousset.

« Mon portefeuille, à présent ! s'écrie-t-il en le découvrant dans la soupière. Que c'est étrange ! »

Toto et Riri couvent Oscar d'un regard admiratif.

« Eh ben, toi qu'on prenait pour un lourdaud ! »

Tous trois se rasseyent autour de la table.

« Mon cher Oscar, commence Riri, mange et bois ! »

Le repas continue ; on boit, on mange et on s'assène mutuellement d'énormes bourrades jusqu'au moment où la main de Riri passe sous la nappe, s'empare du portefeuille d'Oscar et le pose sur le sol, pensant qu'il sera plus en sécurité là que dans sa poche. C'est faire un mauvais calcul ! car Vic le ramasse aussitôt et le pousse contre la main de Toto qui se referme dessus.

« Riri, j'ai été injuste envers toi, dit-il. Tu es un honnête garçon ! »

Quelques instants plus tard, par le même chemin, la main de Toto va reprendre la montre dans le gousset d'Oscar et la dépose à ses pieds. Vic la saisit, chatouille la jambe de Riri et la lui passe.

« Toto ! déclare Riri, il n'y a pas meilleur copain que toi !

— Mais où sont passés ma montre et mon portefeuille ? »

Alors, les deux objets disparaissent sous la nappe comme par enchantement : si le bonhomme se fâchait, Riri ne voudrait pas qu'il trouve la montre sur lui et Toto ne tiendrait guère à se faire prendre avec le portefeuille. Et justement, Oscar se démène comme un beau diable en réclamant sa montre et son porte-feuille.

« Comment veux-tu que l'on sache ce que tu en as fait de ton vieux portefeuille ! dit Riri.

— On ne l'a pas vue ta vieille montre ! s'indigne Toto. Calme-toi ! »

Vic les restitue subrepticement à Oscar qui récupère son bien :

« Merci, Toto, merci, Riri ! Mais ne renouve-lez pas la plaisanterie, hein ? »

Alors Vic assène un grand coup de talon sur le tibia de Riri qui hurle :

« Je te revaudrai ça, Toto ! »

Aussitôt, Vic détache un maître coup de pied à la cheville de Toto qui pousse un cri.

« Qu'est-ce qui te prend, Riri, de me frap-per ? »

Les deux voyous se dressent comme un seul homme et se jettent l'un sur l'autre, à savoir lequel cognera le plus fort. Les assiettes vont se fracasser sur le plancher, et Oscar détale, épouvanté, emportant à tout jamais montre et portefeuille.

Michel n'est pas rassuré, obligé qu'il est de rester immobile sous les plis de la nappe. Mais

Riri,
plus vigoureux
que Toto, a bientôt le
dessus. Il pourchasse son adversaire jusque
dans la pièce voisine, bien décidé à n'en faire
qu'une bouchée.

Vic et Michel en profitent pour quitter leur
abri.

« On ne va pas conserver la soupière alors
que tout le reste du service est en miettes ! Elle
s'ennuierait toute seule. Pauvre soupière, va »,
ajoute-t-il en la soulevant pour la laisser retom-

89

ber à grand bruit sur le plancher où elle se brise en mille morceaux. Puis les deux amis, sans attendre davantage, s'éclipsent par la fenêtre. Ils entendent Toto et Riri revenir précipitamment dans la pièce.

« Dis-moi pourquoi tu lui as rendu sa montre et son portefeuille, superbe idiot !

— Tu rêves ! C'est toi qui les lui as redonnés ! »

Vic n'en peut plus de rire !

« Ça suffit pour aujourd'hui », dit-il lorsqu'il est un peu remis.

Michel en pense tout autant.

Il fait nuit noire et, main dans la main, les deux amis regagnent la maison de Vic qui se trouve sur celle de Michel. Arrivés là, ils entendent la sirène d'une voiture de pompiers.

« Il y a le feu pas loin, dit Michel.

— Si c'était dans ton immeuble ? répond Vic, alléché. Les pompiers n'auraient qu'un mot à dire pour que je leur prête main-forte, parce que personne ne s'y connaît mieux que moi pour éteindre un incendie ! »

Ils aperçoivent la voiture qui vient de s'arrêter devant l'immeuble et la foule qui se rassemble, mais ils ne voient ni flammes ni fumée. Tout à coup, ils se rendent compte que l'échelle télescopique déployée à une vitesse vertigineuse se dirige vers eux.

« Je me demande..., je me demande si ce n'est pas moi qu'ils recherchent », dit Michel.

Il vient de se souvenir du petit mot qu'il a laissé dans sa chambre. De plus, il se fait tard.

« Pourquoi viendraient-ils te chercher ? Personne ne sait que tu es sur le toit.

— Oh si ! Maman ! Et elle s'effraie facilement. »

Il se sent tout à coup navré pour elle. Elle commence aussi à lui manquer.

« Si on jouait un bon tour aux pompiers ? » suggère Vic.

Michel n'a plus envie de jouer des tours à qui que ce soit ! Il reste figé sur place et attend l'arrivée de l'homme qui escalade prestement la grande échelle.

« Comme tu veux, admet Vic. Bon, il est temps que j'aille me coucher. On n'a pas fait trop les fous, n'est-ce pas, et pas joué tellement de tours... Mais il ne faut pas oublier que j'étais fiévreux tout à l'heure. J'ai dû monter jusqu'à 49 ° ou 50 °... »

Il s'éloigne au pas de course.

« Salut, Michel !

— Salut, Vic ! répond Michel sans quitter des yeux le pompier qui s'approche de plus en plus.

— Hé ! Michel ! crie encore Vic avant de disparaître derrière la cheminée. Ne lui dis pas que j'habite ici. Comme je suis le meilleur pompier du monde, ils ne me laisseraient plus de cesse dès que ça brûlerait ici ou là. »

Le pompier atteint le rebord du toit.

« Ne bougez pas ! crie-t-il. Restez où vous êtes. Je vais venir jusqu'à vous ! »

« C'est gentil de sa part, se dit Michel, mais tout à fait superflu ! »

Après avoir erré sur les toits du voisinage depuis le milieu de l'après-midi, il ne lui en coûterait guère de faire un ou deux pas de plus !

« Est-ce maman qui vous a alerté ? demande-t-il à son sauveteur qui l'a saisi à bras-le-corps et commence à redescendre.

— Bien sûr ! Mais étais-tu seul ? Il m'a semblé un moment qu'il y avait deux petits garçons sur le toit. »

Michel n'oublie pas la recommandation de Vic et répond sérieusement :

« Non, j'étais le seul *petit garçon*. »

* * *

Effectivement, les nerfs de maman ont été mis à rude épreuve. Elle attend son fils, au milieu de la rue, aux côtés de papa, de Brigitte et de Pat, entourés d'une foule considérable. Elle se précipite sur lui, l'embrasse, rit et pleure en même temps ! Papa le soulève et l'emporte jusqu'à l'appartement en le serrant contre lui.

« Tu nous as fait une peur, Michel ! dit Pat.

— Ne recommence jamais ! » crie Brigitte.

Quelques minutes plus tard, Michel est dans son lit et toute la famille se rassemble autour de lui comme si c'était son anniversaire. Mais papa ne sourit pas.

« Tu n'as pas pensé un instant à l'inquiétude que tu allais nous causer ? Tu n'as pas pensé que ta mère pleurerait, qu'elle s'affolerait ? »

Michel se tortille dans son lit.

« Pas pensé qu'elle s'affolerait à ce point », bredouille-t-il.

Maman le serre très fort.

« Suppose que tu sois tombé ? Suppose que nous ne t'ayons plus !

— Ça vous aurait fait de la peine ?

— Qu'est-ce que tu demandes là ! se récrie maman. Pour rien au monde nous ne voudrions te perdre, tu le sais !

— Même pas pour cent mille millions ?

— Non ! Même pas pour cent mille millions !

— Je vaux si cher ? questionne-t-il surpris.

— Oh oui ! » affirme maman en le reprenant dans ses bras.

Michel réfléchit. Cent mille millions ! Que d'argent ! Est-ce possible qu'il vaille ça ? Alors que pour cinq ou six cents francs on peut avoir un chiot...

« Papa, si je vaux cent mille millions, est-ce que je ne pourrais pas prélever cinq cents francs sur la somme pour m'acheter un petit chien ? »

Chapitre 6

Vic joue
les fantômes

Ce n'est que le lendemain, à table, que l'on demande à Michel comment il est monté sur le toit.

« Es-tu passé par une des lucarnes du grenier ?

— Non. Je me suis envolé avec Vic. »

Papa et maman échangent un regard.

« Ce n'est pas possible ! Ce Vic me rendra folle !

— Michel, Vic n'existe pas ! dit papa.

— Ah ! Je peux vous dire qu'il existait hier, bel et bien ! »

Maman hoche la tête.

« Heureusement que l'année scolaire se termine bientôt et que tu vas aller chez ta grand-mère. J'espère que ce Vic n'aura pas l'idée de te suivre. »

Michel n'avait pas encore pensé à cela. Il passerait l'été à la campagne et serait deux mois sans revoir son ami ! Oh ! ce n'est pas qu'il ne se plaise pas chez grand-mère, il y a toujours vécu d'heureux moments, mais que l'absence de Vic lui pèserait ! Et si, avant son retour, Vic avait décidé de déménager ! Les coudes sur la table, la tête dans les mains, il se pose une question : à quoi ressemblerait le monde sans son ami ?

« Pas de coudes sur la table ! dit Brigitte.

— Regarde-toi ! réplique Michel.

— Pas de coudes sur la table ! confirme maman. Veux-tu encore un peu de chou-fleur ?

— Non. Plutôt mourir !

— En voilà une façon de parler ! remarque papa. Tu ne peux pas dire "non, merci" ? »

« C'est ainsi qu'on traite un garçon qui vaut cent mille millions ! » pense Michel.

Mais il garde ses réflexions pour lui et déclare :

« Si je vous dis "plutôt mourir", vous savez bien que cela signifie : "Non, merci."

— Peut-être. Mais un monsieur s'exprime différemment, reprend papa. Or je suppose que tu veux devenir un monsieur, n'est-ce pas, Michel ?

96

— Non, je préfère devenir un homme comme toi, papa. »

Maman, Pat et Brigitte éclatent de rire. Sans en être certain, Michel estime qu'ils rient aux dépens de papa et cela lui déplaît. Il précise :

« Ce que je veux, c'est devenir un homme sympathique, comme toi, papa. Rien de plus.

— Merci, mon petit gars ! dit papa. Mais tu ne veux vraiment plus de chou-fleur ?

— Non, plutôt mourir.

— C'est cependant bon pour toi, tu sais, insiste maman.

— Bizarre ! Moins on aime quelque chose, meilleur c'est pour la santé ! Pourquoi faut-il que toutes les vitamines soient stockées dans des trucs dégoûtants à manger, j'voudrais bien savoir !

— Il a raison ! enchaîne Pat. A ton avis, il faudrait qu'elles se trouvent dans la limonade et le chewing-gum, hein ?

— Il y a longtemps que tu n'avais rien dit d'aussi intelligent, mon vieux frère. »

*
* *

Le repas terminé, il retourne à sa chambre, en espérant de tout son cœur la visite de Vic. Il souhaite le voir aussi souvent que possible avant son départ en vacances.

Vic a sans doute deviné ses pensées car à peine Michel a-t-il mis le nez à la fenêtre qu'il arrive.

« Vous n'avez plus de fièvre ?

— De la fièvre ? Je n'en ai jamais eu ! Imagination pure et simple !

— Vous voulez dire que vous avez imaginé que vous aviez de la fièvre ?

— Non. Je te l'ai fait imaginer, à toi, Michel Sanderson, rétorque Vic en riant. Le plus grand farceur du monde, devine qui c'est ? »

Vic ne tient pas en place. En parlant, il va et vient, fouille dans les affaires de Michel, ouvre les placards, tire les tiroirs et examine tout avec une attention aiguisée.

« Non, je n'ai pas de fièvre aujourd'hui. Je me sens en pleine forme et prêt à m'amuser. »

Michel ne l'est pas moins, mais il désire surtout que sa famille voie son ami pour que l'on cesse de lui rabâcher que Vic n'existe pas.

« Voulez-vous m'attendre un instant ? demande-t-il. Je reviens tout de suite. »

Il se précipite au salon. Pat et Brigitte sont partis, mais papa et maman sont encore là.

« Papa et maman, venez vite ! »

Il ne prononce pas le nom de Vic. Il vaudra mieux qu'ils le découvrent dans sa chambre.

« Reste donc un peu avec nous », dit maman.

Mais Michel la tire par le bras.

« Non. Venez voir ! »

Il parvient bientôt à les persuader de se déranger et, le cœur en fête, il ouvre sa porte toute grande. Enfin, ils vont *voir.*

Oh ! La pièce est vide. Vide comme la première fois où il voulait leur présenter Vic. Pour peu il en pleurerait de dépit.

« Qu'avais-tu à nous montrer ? demande papa.

— Rien de spécial », marmonne Michel.

Fort heureusement le téléphone se met à sonner et papa va répondre ; maman se souvient qu'elle a un gâteau au four. Michel reste seul. Fâché contre Vic, il se promet de ne pas le ménager lorsqu'il reviendra se poser sur la fenêtre !

Mais il ne revient pas par la fenêtre pour la bonne raison qu'il est simplement caché dans la penderie. Il pousse la porte et montre à Michel, stupéfait, un visage rayonnant de contentement.

« Que faisiez-vous dans ma penderie ?

— Je ruminais mon foin ? Non. Je faisais mon examen de conscience ? Non. Un petit dodo sur ton étagère ? Oui ! »

Michel a oublié sa colère. Il est content que Vic soit encore là.

« Bel endroit pour jouer à la cachette ! dit-il. On fait une partie ? Je retourne sur l'étagère et tu devines où je suis ! »

100

Sans attendre la réponse, il disparaît entre les vêtements et Michel l'entend grimper sur le rayon.

« Cherche-moi ! »

Michel ouvre la porte et le découvre sans difficulté.

« C'est pas de jeu ! grogne Vic. Tu aurais dû d'abord regarder dans ton lit, derrière ton bureau et partout ailleurs. Si tu continues à faire le mauvais joueur, j'reviendrai plus. »

On entend le timbre de la sonnette retentir dans le vestibule et, aussitôt après, maman appelle Michel.

« Voici Christian et Suzanne ! »

Il n'en faut pas plus pour rendre sa belle humeur à Vic.

« On va leur jouer un tour, souffle-t-il. Referme la porte sur moi ! »

Michel pousse la porte juste au moment où Chris et Suzanne entrent dans sa chambre. Ils habitent dans la même rue et sont dans la même classe. Michel aime beaucoup Suzanne et il n'en veut pas le moins du monde à Chris de lui avoir fait une bosse sur le front. Ils se sont souvent battus déjà, mais, la bataille finie, ils redeviennent bons amis. De toute façon Michel ne se bat pas rien qu'avec Chris. Il en a déjà décousu avec tous les enfants du quartier, sauf avec Suzanne.

« Pourquoi cette exception ? lui avait demandé maman.

— Parce qu'il n'y a pas besoin de lui taper dessus ! Elle est si gentille ! »

Mais, bien entendu, il lui arrive d'être énervante. Hier par exemple, en rentrant de l'école, Michel lui a parlé de Vic ; elle s'est moquée de lui et a répliqué que le Vic en question ne peut exister. Là-dessus, Chris s'est mis de son côté, ce qui a obligé Michel à le faire taire à coups de poing. C'est ensuite que Chris lui a lancé un caillou...

Mais on n'en parle plus. Ils sont là, Chris a amené Jeffy, et Michel qui adore les chiens en oublie Vic sur son étagère dans la penderie. Jeffy aboie et saute partout, Michel le serre dans ses bras et le caresse à n'en plus finir. Debout à côté d'eux, Chris les contemple patiemment. Jeffy est son chien, sa propriété, et il ne voit pas d'inconvénient à ce que Michel le dorlote autant qu'il le veut.

« Où se trouve ton vieux Vic le Victorieux ? demande Suzanne avec un petit rire taquin. On croyait le trouver chez toi ! »

Michel se rappelle alors que Vic est resté enfermé dans la penderie. Mais comme il ne sait quel tour il veut jouer à ses amis, il ne souffle mot de sa présence.

« Vous avez dit que Vic n'existe pas ?

— Parfaitement ! Il n'existe pas ! soutient Suzanne qui se remet à rire jusqu'à ce que des fossettes se creusent dans ses joues.

— Elle a raison ! affirme Chris.

— Elle a tort ! » rétorque Michel qui se demande s'il y a lieu de poursuivre intelligemment la discussion ou s'il ne vaudrait pas mieux en finir tout de suite par une taloche. Mais avant qu'il ait pris sa décision, un formidable cocorico ! résonne dans la penderie.

« Qu'est-ce que c'est ? demande Suzanne dont la bouche rouge comme une cerise bée d'étonnement.

— Cocorico !

— Quoi ? Il y a un coq dans ton armoire ? » demande Chris étonné tandis que Jeffy commence à grogner.

Michel rit aux larmes, incapable d'articuler un seul mot.

« Cocorico !

— Oh ! Il faut que j'aille voir ! »

Suzanne ouvre la porte et inspecte l'intérieur du meuble. Chris s'avance et regarde aussi. Tout d'abord, ils ne voient que des vêtements pendus à des portemanteaux mais bientôt un ricanement leur fait lever la tête et ils aperçoivent un petit personnage grassouillet, confortablement installé sur l'étagère, appuyé sur son coude, qui laisse pendre une courte jambe

boulotte et les fixe de ses yeux bleus extraordi-
nairement brillants.

Tout d'abord, Chris et Suzanne restent muets.
Seul Jeffy gronde. Puis Suzanne retrouve sa
langue.

« Qui est là-haut ? demande-t-elle.

— Celui qui n'existe pas, répond l'étrange
personnage en balançant sa jambe courtaude,
une créature imaginaire qui se repose un peu.

— Est-ce, est-ce ?... bégaie Chris.

— C'est une chimère venue chanter cocorico ici, en toute simplicité.

— Seriez-vous Vic le Victorieux ? murmure
Suzanne.

— Qui serais-je d'autre ? La vieille Mme Du-
pont, peut-être, qui habite au numéro 92 de
cette rue et qui s'est traînée
jusqu'ici pour piquer
son petit roupillon ? »

Michel ne se tient plus de
rire devant Chris et Suzanne
qui restent sur place,
la bouche ouverte, l'air
stupide.

« J'étais sûr que cela vous
épaterait ! » dit enfin Michel.

Vic saute de l'étagère et
pince la joue de
Suzanne d'un air taquin.

« Quel est ce semblant de petite fille ? questionne-t-il.

— Nous..., commence Chris.

— En plus d'Auguste, quels sont tes autres
prénoms ? demande Vic.

— Mais je... Mais je..., je ne m'appelle pas
Auguste ! proteste Chris.

— C'est bon ! C'est bon ! Continue !

— Ils s'appellent Suzanne et Christian,
explique Michel.

— Ce qu'il peut arriver comme catastrophe
aux gens ! soupire Vic. Mais ne vous laissez pas
abattre ! Tout le monde ne peut pas s'appeler
Vic... malheureusement ! J'ai envie de rire un
peu, poursuit-il sans reprendre haleine. Si on
lançait des chaises par la fenêtre ? »

Michel ne trouve pas l'idée
excellente et il jurerait que ses
parents la jugeraient franche-
ment mauvaise.

« S'ils sont vieux jeu, ils sont
vieux jeu. On ne les changera
pas ! Trouvons autre chose parce
que j'ai besoin de m'amuser.
Sinon, je ne reste pas ! dit-il en
faisant la moue.

— On va sûrement trouver ! »
dit Michel plaidant pour sa
cause.

Vic prend visiblement le parti de bouder.

« Dépêchez-vous. Sinon, pfft ! je m'en vais ! »

Les enfants se disent que ce serait trop dommage et le prient de rester. Vic s'assoit, l'air toujours aussi buté.

« Je resterais, peut-être, si on me faisait une caresse en me disant : "Cher Vic !" »

En parlant, il pointe un doigt vers Suzanne qui s'empresse de poser sa main sur ses cheveux.

« Cher Vic, restez, et nous trouverons sûrement un jeu amusant.

— Très bien, je reste ! »

Les enfants poussent un soupir de soulagement, mais un peu trop tôt. Maman s'adresse à eux, du fond du vestibule.

« Au revoir, les enfants ! A tout l'heure ! Je vais faire un petit tour avec papa ! Que Chris et Suzanne restent jusqu'à sept heures ! Ensuite, Michel, tu feras ta toilette. On revient bientôt. »

Ils entendent la porte du palier se refermer.

« Elle n'a pas dit combien de temps je pouvais rester, moi, commence Vic. Je ne compte donc pas ? Si on devient injuste, je m'en vais !

— Vous pouvez rester autant que vous le voudrez ! » dit Michel.

Vic avance encore un peu plus sa lèvre inférieure.

« Pourquoi ne me chasse-t-on pas à sept heures comme les autres ?

— Je demanderai à maman de vous renvoyer chez vous à sept heures pile ! promet Michel. A quoi jouons-nous ? »

La mauvaise humeur de Vic disparaît comme par magie.

« On joue aux fantômes ! suggère-t-il. Vous n'imagineriez jamais ce que je suis capable de faire rien qu'avec un petit drap de lit ! Si tous ceux qui sont morts de peur à cause de moi me donnaient une petite pièce de monnaie, j'aurais de quoi m'acheter des tonnes de bonbons ! Vous ne savez pas que je suis le plus grand fantôme du monde ? » ajoute-t-il tandis qu'une flamme joyeuse brille dans ses yeux.

Les enfants, ravis, sont prêts à entrer dans le jeu.

« Tout de même, objecte Michel, il ne faudra pas trop effrayer ceux que nous rencontrerons.

— T'en fais pas ! Le plus grand fantôme du monde n'a pas de leçons à recevoir. Je leur ferai une peur à tomber raide, mais une si petite peur à tomber raide qu'ils ne s'en rendront même pas compte ! »

Il saisit à pleines mains le drap de dessus de Michel.

« Vous allez voir quel beau linceul je vais me fabriquer ! »

A l'aide d'un crayon feutre qu'il a déniché dans un tiroir, il trace un visage effrayant sur le tissu et avant que Michel ait eu le temps de l'en empêcher, il découpe à grands coups de ciseaux deux trous ronds pour les yeux.

« T'en fais pas pour un petit drap de rien du tout ! Un fantôme a besoin de voir où il va, sinon, il perd son chemin et pfft ! il se retrouve à Calcutta ou à Bhubanesvar ! »

Puis il dispose le drap sur sa tête et ses épaules de façon à avoir les mains libres. Les enfants ont beau savoir qu'il n'y a que Vic dessous, ils sont impressionnés et Jeffy montre ses crocs. La panique s'installe lorsque Vic commence à voltiger autour du plafonnier.

« Je suis un petit fantôme motorisé ! Un fantôme sauvage et indompté ! »

Les enfants, saisis, contemplent le drap qui s'agite en tous sens, et le chien aboie maintenant comme un fou.

« Écoutez, vous autres ! Habituellement, j'adore le vacarme ! Mais attention, si je me mets à jouer les fantômes pour de bon, il va falloir que je mette un silencieux à mon moteur ! »

Vic plane, à présent, presque silencieusement, et paraît de plus en plus fantomal.

« Je vais hanter les escaliers, annonce-t-il. Celui qui m'apercevra s'en souviendra encore quand il aura cent ans ! »

Dans l'appartement, la sonnerie du téléphone se déclenche, mais Michel n'a aucune envie d'aller répondre. Il laisse sonner. Vic entame une répétition de soupirs et de grognements caverneux.

« Un spectre qui ne pousse pas de soupirs ou de grognements ne sert strictement à rien, explique-t-il. C'est la première chose que l'on enseigne aux élèves fantômes ! »

Ces préparatifs demandent un certain temps et lorsqu'ils se retrouvent tous dans le vestibule pour commencer à jouer, ils entendent gratter à la porte d'entrée. Tout d'abord Michel pense que ses parents rentrent plus tôt que prévu, mais lorsqu'il voit un fil de fer émerger lentement de la boîte aux lettres et chercher à atteindre le système de fermeture de la porte, il se rappelle soudain un article de journal que son papa lisait, l'autre jour, à sa mère. L'auteur de l'article attirait l'attention sur les cambrioleurs dont le nombre s'accroît sans cesse et citait une de leurs ruses. Ils téléphonent, si personne ne répond, ils pensent que la maison est vide et ils arrivent à toute vitesse. Ils n'ont plus qu'à forcer la serrure, entrer et se servir.

Michel et ses camarades sentent l'angoisse les envahir. Christian regrette d'avoir enfermé son chien dans la chambre de Michel pour qu'il ne les dérange pas dans leur jeu. Le seul à garder son sang-froid, c'est Vic.

« Vous en faites pas ! murmure-t-il. En cas de cambriolage, rien n'est plus utile qu'un fantôme. Suivez-moi dans la salle de séjour. Michel, c'est là, je suppose, que ton père garde ses lingots d'or et ses pierres précieuses ! »

Silencieux et rapides, les enfants se glissent dans la grande pièce et vont se cacher derrière les meubles. Vic se faufile dans une superbe armoire ancienne et tire la porte sur lui. A peine est-il en place que les voleurs font leur entrée sur la pointe des pieds. Michel, dissimulé derrière un canapé, près de la cheminée, risque un œil. Oh ! surprise ! Leurs cambrioleurs ne sont autres que Toto et Riri, les deux voyous auxquels Vic a joué un si méchant tour le soir de leur promenade sur les toits du quartier.

« Grouille-toi ! fait Riri d'une voix rauque. Trouve le fric !

— C'est sûrement là qu'ils le cachent », répond Toto en montrant du doigt un vénérable secrétaire à tiroirs multiples.

Michel sait que sa maman y range l'argent de la maison ainsi que son coffret à bijoux qui renferme quelques belles bagues et des broches de grande valeur, cadeaux de grand-mère. Mon Dieu ! c'est là que se trouve également la médaille d'or que papa a gagnée à un concours de tir ! S'ils allaient s'emparer de tous ces trésors ! Quelle horreur ! Derrière son canapé, Michel retient ses larmes.

« Bon ! Fouille ! Moi, je vais à la cuisine, voir s'ils ont des couverts en argent. »

Riri disparaît et Toto commence à tirer les tiroirs. Michel l'entend siffler. Il vient de trouver l'argent, pense-t-il, de plus en plus effrayé. Toto s'attaque au deuxième tiroir et pousse un nouveau sifflement admiratif.

« Il a trouvé les bijoux ! » se dit Michel atterré.

Mais le sifflement s'étrangle brusquement dans la gorge du voleur. La porte de l'armoire ancienne vient de s'entrebâiller et il en est sorti un spectre qui pousse un léger grognement de mise en garde. L'argent et les bijoux s'échappent des mains de Toto. Le fantôme décrit quelques cercles autour de lui en poussant d'énormes soupirs et file brusquement en direction de la cuisine.

Quelques secondes plus tard, c'est Riri qui arrive en courant, vert de peur !

« Fanfan ! Un toto ! »

Il voulait dire, bien sûr : « Toto, un fantôme ! » mais dans son affolement, il s'est écrié : « Fanfan, un toto » ! Pas étonnant qu'il soit terrorisé car le spectre le poursuit en poussant des hurlements à glacer le sang dans les veines.

Les deux malfaiteurs se jettent sur la porte, repassent dans le vestibule et gagnent la sortie. Le fantôme, tourbillonnant au-dessus de leur tête, ne les lâche pas. Il les accompagne sur le palier et dans les escaliers en criant d'une épouvantable voix d'outre-tombe.

« Vous en faites pas, vauriens ! Je vous retrouverai. On rira ! »

Épuisé, le fantôme rejoint les enfants. Michel a ramassé les billets, les broches et les bagues qu'il remet à leur place. Suzanne et Christian

rassemblent les cuillers et les fourchettes que Riri a éparpillées entre la cuisine et la salle de séjour.

« Et voilà ! Le meilleur fantôme du monde, c'est Vic le Victorieux, personne ne dira le contraire », s'écrie le spectre en se débarrassant du couvre-lit.

Les enfants, soulagés, éclatent de rire.

« Croyez-moi ! Rien ne vaut un fantôme pour mettre les voleurs en fuite ! Si les gens avaient un peu d'idée, ils choisiraient les plus hargneux pour les enfermer dans leur coffre-fort ! »

Ouf ! L'argent de la maison, les bijoux de maman et la médaille de papa sont sauvés !

Michel saute de joie.

« Les gens sont stupides de croire aux fantômes ! dit-il en riant. Papa répète souvent : "Le surnaturel, ça n'existe pas !" C'est vrai continue-t-il d'un air important, faut-il que ces voleurs soient bêtes pour avoir cru qu'un revenant sortait de notre armoire ! Alors qu'il n'y a vraiment rien de surnaturel ici, à part Vic le Victorieux ! »

Chapitre 7

Vic
prestidigitateur

Le lendemain matin, un petit bonhomme mal réveillé, ébouriffé, pieds nus, flottant dans un pyjama bleu à rayures blanches, arrive à la cuisine d'un pas hésitant pour retrouver maman chérie. Pat et Brigitte sont déjà partis ainsi que papa. Michel, lui, n'a pas à quitter la maison aussi tôt qu'eux, ce qui est fort agréable, parce qu'il aime beaucoup passer quelques instants tête à tête avec maman le matin. Bien qu'il soit déjà grand, il adore se blottir contre elle lorsque personne ne peut le voir. On est si bien pour causer, et quand on a beaucoup de temps devant soi, on peut même chanter et se raconter des histoires.

Assise devant la table, maman prend son café

du matin en parcourant le journal. Michel, sans mot dire, se glisse sur ses genoux et elle l'entoure de son bras jusqu'à ce qu'il soit complètement réveillé.

La veille, papa et maman avaient prolongé leur promenade et, lorsqu'ils étaient rentrés, Michel dormait déjà. Dans son sommeil, il avait repoussé draps et couvertures. En le rebordant, maman avait remarqué les deux trous dans le drap ainsi que les traits tracés au crayon feutre.

« Rien d'étonnant à ce que Michel se soit endormi si vite ! » avait-elle pensé.

Mais à présent elle tenait le coupable pelotonné contre elle et elle ne le lâcherait pas tant qu'il n'aurait pas fourni d'explications !

« Mon petit Michel, dit-elle, je voudrais savoir qui a fait des trous dans ton drap. Ne me dis pas que c'est Vic ! »

Michel réfléchit. C'est Vic et pas un autre, mais on lui interdit de le dire ! Inutile de parler des voleurs également, car maman ne le croirait pas non plus.

« Alors, tu me réponds ?

— Tu devrais demander à Suzanne », conseille-t-il avec une bonne dose de ruse.

Suzanne raconterait à maman tout ce qui s'est passé et elle serait forcée de la croire.

« Tiens, tiens ! C'est Suzanne qui a découpé ces trous dans le drap, pense maman. Que c'est

chic de la part de Michel de ne pas "mouchar-
der" ! »

Elle serre son petit garçon un peu plus fort
et décide de ne pas insister. Mais dès qu'elle
pourra attraper Suzanne, elle saura lui faire
dire la vérité.

« Tu l'aimes beaucoup, cette petite Suzanne ?
— Oh oui ! Beaucoup. »

Comme maman reprend sa lecture, Michel,
toujours assis sur ses genoux, se plonge dans
ses pensées. Quelles sont les personnes qu'il
aime ? Maman, plus que quiconque, et papa !
Pat et Brigitte, il les aime aussi, de temps à
autre. Non, il les aime souvent, Pat surtout.
Mais cependant il lui arrive de piquer de telles
colères contre eux qu'il se sent prêt à éclater !
Il aime Vic. Il aime Suzanne... Il l'aime vraiment. Peut-être l'épousera-t-il quand il sera
grand, puisqu'il est d'usage d'avoir une femme,
qu'on le veuille ou non. Bien entendu, c'est
maman qu'il préférerait, mais ce ne doit pas
être possible de se marier avec elle.

Parvenu à ce point dans le cours de ses
réflexions, il lui vient une idée qui l'inquiète.

« Dis, maman, si Pat meurt quand il sera
grand, serai-je obligé d'épouser sa femme ? »

Maman, étonnée, dépose sa tasse sur sa soucoupe.

« Qu'est-ce qui te fait croire cela ? »

Il a l'impression que maman réprime une envie de rire et il craint d'avoir dit une bêtise. Il se renferme dans le silence, mais maman insiste.

« Dis-moi, Michel...

— Ben, j'ai déjà la vieille bicyclette de Pat, ses vieux skis, ses vieux patins à glace, ses vieux pyjamas, ses vieux tennis...

— Tu seras dispensé d'hériter de sa vieille femme, je te le garantis ! » promet maman.

Par bonheur elle garde son sérieux.

« A la place de sa vieille femme, est-ce que je pourrais t'épouser, toi ?

— Cela ne me paraît pas possible, répond maman. Parce que je suis déjà mariée, tu comprends... avec ton papa.

— Pas de chance que papa et moi aimions la même personne », dit-il contrarié.

Cette fois, maman rit.

« Au contraire, dit-elle. Moi je trouve que c'est excellent !

— Il n'y a pas de quoi trouver ça excellent ! Mais je pourrais me marier avec Suzanne, puisqu'il faut bien se marier un jour... »

Il se replonge dans ses pensées et se dit que vivre avec Suzanne ne serait pas amusant du tout. Elle est parfois si assommante ! Non, pour l'instant, il désire rester avec maman, papa, Pat et Brigitte. Il n'est pas particulièrement pressé de se marier.

« J'aimerais mieux avoir un chien qu'une femme, déclare-t-il. Dis, maman, je ne pourrais pas en avoir un ? »

Maman soupire. Le voilà qui revient à la charge avec son chien ! cette rengaine est aussi lancinante que celle de Vic le Victorieux !

« Michel, tu ferais mieux d'aller t'habiller, sinon tu arriveras en retard à l'école. »

« Toujours la même chose ! se dit Michel avec amertume. Dès que je parle de chien, maman me parle d'école ! »

Mais enfin, aller à l'école, aujourd'hui, ne sera pas ennuyeux du tout : ils ont tant de choses à se dire, Chris, Suzanne et lui ! Le soir même, ils reviennent ensemble comme d'habitude, mais maintenant que ses camarades connaissent Vic, tout va mieux.

« Il est si amusant ! s'extasie Suzanne. Tu crois qu'on le reverra aujourd'hui ?

— Je ne sais pas. Il a promis de revenir "sur les coups de...". Je ne peux pas te dire exactement quand.

— Eh bien, j'espère que c'est aujourd'hui,

dit Chris. Nous pourrons venir chez toi, Suzanne et moi ?

— Naturellement ! »

* * *

Quelqu'un d'autre veut aussi venir ! Comme ils se préparaient à traverser, un caniche noir se jette dans les jambes de Michel, le flaire et pousse de petits jappements amicaux.

« Oh ! Le beau chien ! s'écrie Michel ravi. Regardez : il a peur des voitures et veut traverser la rue avec nous. »

Michel est prêt à lui faire traverser autant de rues qu'il voudra. Le caniche s'en rend compte et le suit sur le passage pour piétons.

« Il est vraiment mignon ! dit Suzanne. Viens, viens, petit !

— Ne l'appelle pas. C'est moi qu'il suit, c'est moi qu'il aime, proteste Michel en agrippant le chien.

— Il m'aime aussi, réplique Suzanne. Oui... là, là, là ! »

Le caniche a l'air d'adorer tous ceux qui lui manifestent de l'amitié. Et Michel déborde de bons sentiments à son égard. Il s'accroupit, le flatte, lui parle, invente toutes sortes de gloussements et clappements amicaux, chacun destiné à lui prouver qu'il est le plus beau chien du monde. Le caniche remue la queue pour montrer qu'il est d'accord avec lui sur ce point. Il aboie joyeusement lorsque les enfants atteignent leur rue.

Un espoir fou s'empare de Michel.

« Il est peut-être perdu ! Il n'a peut-être plus personne pour s'occuper de lui !

— Tu parles ! conteste Chris.

— Toi, tais-toi ! T'en sais rien ! »

On ne peut pas comprendre ce que c'est de ne pas avoir de chien quand on en a un !

« Viens, petit ! dit Michel de plus en plus persuadé que le caniche est perdu.

— Empêche-le d'entrer avec toi ! recommande Chris.

— Jamais de la vie ! Je veux qu'il entre ! »

Et le caniche entre avec eux, Michel le soulève de terre et le porte dans les escaliers.

« Je vais demander à maman si elle me permet de le garder. »

Mais maman ne se trouve pas dans l'appartement. Il y a un papier sur la table de la cuisine, expliquant qu'elle s'occupe de la lessive au sous-sol et que Michel doit descendre la voir s'il a quelque chose à lui dire.

Seulement, seulement... Rapide comme une fusée, le caniche file à la chambre de Michel. Les enfants le suivent. Michel est fou de joie.

« Vous voyez ? Il veut absolument vivre avec moi ! » dit-il.

Vic arrive, dans un doux ronronnement de moteur.

« Salut ! crie-t-il. Ça alors ! Le chien a rétréci. Tu l'as lavé ?

— Ce n'est pas Jeffy. C'est mon chien à moi !

— Non, ce n'est pas le sien !

— Et vous, demande Suzanne, en avez-vous un ?

— J'en ai mille à la maison ! rétorque Vic. Le meilleur éleveur de chiens du monde...

— Je n'en ai pas vu un seul chez vous ! proteste Michel.

122

— Ils faisaient une petite promenade dans les airs, explique Vic. J'élève des chiens volants. »

Mais Michel ne l'écoute plus. Mille chiens volants ne représentent rien, comparés à son caniche.

« Il est perdu ! redit-il. Il n'a plus personne pour s'occuper de lui. »

Suzanne se penche sur le chien.

« Je vois un nom sur son collier : Georges ! dit-elle.

— Ah ! dit Chris. Tu vois qu'il a des maîtres !

— Ils sont peut-être morts ? » avance Michel.

Quoi qu'il en soit, il n'éprouve aucune sympathie pour les dénommés Georges. Puis une idée réconfortante surgit dans son esprit.

« Pourquoi le caniche ne s'appellerait-il pas Georges ? suggère-t-il en toisant Chris et Suzanne qui éclatent aussitôt d'un rire moqueur.

— Moi, j'ai une quantité de chiens qui s'appellent Georges, expose Vic. Salut, Georges ! »

Le caniche bondit sur Vic en aboyant joyeusement.

« On y est ! s'écrie Michel transporté. Il sait son nom. Viens, Georges ! Viens ! »

Suzanne attire le chiot vers elle.

« Il y a aussi un numéro de téléphone sur le collier », ajoute-t-elle impitoyable.

Vic remet les choses au point :

« Tous les chiens ont le téléphone ! Dis-lui

donc d'appeler sa logeuse pour lui faire savoir qu'il s'est enfui. Mes chiens ne manquent jamais de me prévenir quand ils font une fugue ! »

Il caresse la tête du petit chien et poursuit :

« L'autre jour, un de mes Georges a pris la clef des champs. Il a voulu me téléphoner pour me le dire. Malheureusement, il s'est emmêlé les griffes dans le cadran, si bien qu'il est arrivé chez la femme d'un vieux colonel qui habite dans le centre. Quand elle a entendu un chien lui parler, elle a dit :

'' — Vous n'êtes pas au bon numéro.

— Dans ce cas, pourquoi répondez-vous ?'' a répliqué Georges qui est particulièrement intelligent. »

Michel ne prête aucune attention à Vic. Seul le caniche l'intéresse et il n'entend même pas Vic annoncer qu'il a envie de s'amuser. Alors Vic se renfrogne.

« Si vous continuez à jouer avec le chien, moi je m'en vais. Je veux jouer aussi. »

Chris et Suzanne lui apportent leur soutien.

« On pourrait organiser une séance de prestidigitation, propose Vic ragaillardi. Devinez quel est le plus grand illusionniste du monde ? »

Michel, Chris et Suzanne devinent tout de suite : ce ne peut être que Vic le Victorieux.

« Bien. Mettons un spectacle sur pied, décide Vic.

124

« — Oui ! s'écrient les enfants.

— Le billet d'entrée coûtera un caramel.

— Oui !

— La recette ira aux pauvres dignes d'inté-rêt.

— Hum ! disent les enfants.

— Disons qu'il n'existe qu'un seul pauvre digne d'intérêt : Vic le Victorieux. »

Les enfants échangent des regards.

« Je me demande..., commence Chris.

— Il n'y a rien à se demander, tranche Vic. La décision a été prise en commun. Si on change d'avis, je m'en vais ! »

Les caramels reviendront à Vic. C'est entendu. Alors, Chris et Suzanne descendent dans la rue pour annoncer aux enfants qu'ils rencontrent le grand spectacle de prestidigitation qui se prépare. Tous ceux qui ont une petite pièce en poche se rendent en hâte à la confiserie.

Suzanne monte la garde devant la porte de la chambre de Michel et dépose les caramels dans une boîte portant l'inscription : « *Pour les bonnes œuvres.* » Le public prend place sur des chaises que Chris a disposées devant une cou-verture qui pend au plafond et derrière laquelle on chuchote, on rit et on aboie.

« Qu'est-ce qu'il y a au programme ? demande un garçon nommé Cyrille. De toute façon je veux qu'on me rende mon caramel. »

Michel, Chris et Suzanne n'aiment guère Cyrille qui n'est jamais content.

Michel, qui se tenait derrière la couverture, se présente au public, le caniche dans les bras.

« Vous allez assister à la représentation donnée par le plus grand prestidigitateur du monde et son partenaire : Georges, le chien savant !

— Comme tu l'as dit, mon cher Michel, crie une voix derrière la couverture, vous allez avoir devant vous le plus grand prestidigitateur du monde ! »

La couverture s'écarte et Vic apparaît. Il est coiffé du chapeau haut de forme de papa et porte, en guise de cape, le tablier à carreaux de maman dont il a noué la ceinture sous son menton. Il paraît très fier de lui. Il retire le haut-de-forme et, comme tous les illusionnistes, fait constater qu'il est vide.

« Voyez, mesdames et messieurs, il n'y a rien dans ce chapeau, absolument rien ! »

Michel espère qu'il va en sortir un lapin parce qu'il a déjà vu exécuter ce tour. Ce serait formidable que Vic réussisse le même.

« Comme je vous l'ai dit, ce chapeau est vide et il restera *vide*, à moins que *vous* n'y mettiez quelque chose. Je vois devant moi une quantité de petits "becs sucrés" qui se régalent de caramels ! Nous allons faire circuler le chapeau parmi l'assistance et chacun de vous y déposera son offrande sous forme de bonbons pour les œuvres de charité. »

Michel fait la quête et les caramels s'entassent rapidement dans le chapeau qu'il rapporte ensuite à Vic.

« Que ce chapeau est devenu bruyant ! estime Vic en le secouant. Si vous l'aviez rempli complètement, il serait resté parfaitement silencieux ! Dommage ! »

Il se met un caramel dans la bouche.

« Oh ! qu'il est bon ! Il a une saveur de charité ! »

Cyrille n'a rien jeté dans le chapeau. Il a

cependant un sac plein de bonbons sur les genoux.

« Mes chers amis, commence Vic, et toi aussi Cyrille... je vous présente Georges ! Georges, le chien savant dont le savoir est immense. Il téléphone, fait des gâteaux, lève la patte, vole, parle, j'en oublie ! »

Et voilà que, effectivement, le caniche lève la patte... contre la chaise de Cyrille et laisse une petite flaque sur le plancher.

« Vous constatez que je n'ai exagéré en rien ! proclame Vic. Ce chien sait réellement tout faire !

— Bof ! dit Cyrille en déplaçant sa chaise. Tous les petits chiens sont capables de ça. Dites-lui donc de parler ! Ce sera moins facile, ha, ha ! »

Vic se tourne vers le caniche.

« Voyons, Georges, est-ce difficile de parler ?

— Oh non ! répond Georges. Sauf quand je fume un gros cigare ! »

Michel, Chris et Suzanne sursautent. On croirait vraiment que le chien a pris la parole. Mais Michel sait que Vic utilise ses talents de ventriloque. Heureusement d'ailleurs, car il veut un chien ordinaire et non un chien qui parle.

« Georges, mon cher ! reprend Vic. Voudrais-tu raconter une histoire de chiens, pour tous nos amis présents, et pour Cyrille ?

— Volontiers ! dit Georges en sautant autour des jambes de Vic. Je me trouvais au cinéma, l'autre jour...

— Tiens donc ! Tu étais au cinéma ?

— Oui. Et je partageais mon fauteuil avec deux puces.

— Vraiment ?

— Vraiment. Et lorsque nous nous sommes retrouvés sur le trottoir, après la séance, j'ai entendu une des puces dire à l'autre : "Qu'est-ce qu'on fait ? On prend un chien ou on rentre à pied ?" »

Tous les enfants éclatent de rire et se régalent du spectacle, mais Cyrille ne se déride pas.

« Faites-lui faire quelques gâteaux ! demande-t-il avec dédain.

— Georges, peux-tu nous préparer un bon gâteau ? » demande Vic.

Georges bâille et se couche sur le plancher.

« Non, répond-il, je ne peux pas.

— Ha, ha ! J'te crois ! ricane Cyrille.

— Parce qu'il ne reste pas un gramme de levure dans cette maison ! » reprend le chien.

Tous les enfants l'applaudissent, mais Cyrille continue à faire la tête.

« On ne l'a pas vu voler ! Il n'aura pas besoin de levure pour ça !

— Georges, veux-tu voler ? » demande Vic.

Si Georges n'avait pas répondu aux questions

de Vic, on aurait pu le croire profondément endormi.

« Je sais voler, dit le chien. Mais il faut que tu voles avec moi, parce que j'ai promis à maman de ne pas sortir seul.

— Très bien ! Allons-y, mon vieux Georges ! » s'écrie Vic en prenant le chien dans ses bras.

Un instant plus tard, ils sont en l'air tous les deux. Ils montent jusqu'au plafond, tournent deux ou trois fois autour du petit lustre et s'en vont par la fenêtre. Cyrille pâlit de stupéfaction.

Tous les enfants se précipitent à la fenêtre pour voir Vic et Georges évoluer au-dessus des toits. Mais Michel, affolé, lui crie :

« Vic, Vic ! Je t'en prie ! Ramène-moi le chien ! »

Vic obéit. Il dépose Georges sur le sol et celui-ci, ébahi, se secoue à n'en plus finir. C'était apparemment son baptême de l'air.

« Voilà. Terminé pour aujourd'hui ! déclare Vic. Nous, nous n'avons plus rien à montrer. Mais toi, tu vas nous faire voir quelque chose, ajoute-t-il en envoyant une bourrade à Cyrille.

— Quoi ?

— Tes caramels ! »

Cyrille sort le sac de sa poche et le tend à Vic après s'être servi le premier.

« Oh ! Le goinfre ! s'écrie Vic. Où se trouve la boîte des bonnes œuvres ? »

130

Suzanne va la chercher en pensant que Vic veut offrir des caramels à tout le monde puisqu'il en a tant. Elle se trompe. Vic s'empare de la boîte et y vide le sac de Cyrille.

« Quinze de plus ! Ça fera mon souper ! Salut ! Je rentre chez moi ! »

Sitôt dit, sitôt fait : il s'envole par la fenêtre ouverte. Les enfants se retirent. Suzanne et Chris s'en vont à leur tour. Michel reste seul avec le chien et rien ne saurait le contenter davantage. Il prend le caniche sur ses genoux et lui parle. Georges lui lèche le visage et s'endort. On n'entend plus que le bruit de sa respiration.

Mais voilà que maman remonte de la buanderie et tout s'assombrit car elle ne parvient pas à admettre que Georges n'a ni feu ni lieu et aussi parce qu'elle reproche à Michel de ne pas l'avoir avertie de son retour. Elle compose le numéro gravé sur le collier du chien et dit que son fils a recueilli un petit caniche noir.

Georges dans les bras, Michel attend près de l'appareil en murmurant :

« Faites, mon Dieu, que ce ne soit pas leur chien ! »

Mais c'est le leur.

« Mon chéri, dit maman en reposant le combiné, Bobby appartient à un petit garçon qui s'appelle Étienne Georges.

— Bobby ?

— Hé oui ! C'est le nom du caniche. Étienne pleure toutes les larmes de son corps ! Il viendra le chercher à sept heures. »

Michel ne dit rien. Il devient tout pâle et ses yeux brillent intensément. Il serre le caniche contre lui et lui dit tout bas pour que maman n'entende rien :

« Georges, je voudrais tant que tu sois mon chien ! »

Mais, à sept heures, Étienne Georges sonne à la porte. Michel se jette sur son lit et sanglote comme si son cœur allait se briser.

Chapitre 8

Vic au goûter d'anniversaire

L'été est arrivé. L'école est finie et Michel se prépare à partir chez sa grand-mère. Mais, avant son départ, se produira un événement important : demain, il aura huit ans. Voilà si longtemps qu'il attend cette date... C'est bien simple, depuis le jour de ses sept ans ou peu s'en faut. Curieux de voir comme le temps s'écoule lentement entre deux anniversaires ! C'est presque aussi long que d'un Noël à l'autre !

« Je recevrai mes amis, dit-il à Vic. Suzanne et Chris viendront. On dressera la table dans ma chambre. »

Michel s'interrompt et prend un air triste :

« J'aurais aimé vous inviter, mais... »

Mais maman en veut terriblement à Vic le

Victorieux. Et il vaut mieux qu'il ne se trouve pas au nombre des convives.

Vic fait la moue.

« Si on ne m'invite pas, j'reviendrai plus jamais. Moi aussi j'aime bien m'amuser de temps en temps !

— On vous invite ! » dit vivement Michel.

Il en parlera à maman. Advienne que pourra ! Son goûter d'anniversaire ne peut pas se passer en dehors de la présence de Vic.

« Qu'est-ce qu'on mangera ?

— Un gâteau ! Un gâteau d'anniversaire avec huit bougies dessus !

— Je vois. Tu me donnes une idée.

— Laquelle ?

— Si tu demandais à ta maman huit gâteaux et une seule bougie ! »

Selon Michel, maman ne sera pas d'accord.

« On t'offrira de jolies choses ?

— Je n'en sais rien. »

Michel soupire. Le cadeau auquel il aspire, il ne l'aura pas.

« On ne m'offrira pas de chien, on ne m'en offrira jamais ! Mais j'aurai d'autres cadeaux, bien entendu. J'ai décidé de ne pas penser aux chiens pendant toute la journée et de me contenter de ce que j'aurai.

— Alors quoi ! Je ne suis pas un beau cadeau,

moi ? demande Vic. Il me semble que je vaux plus qu'une bête à quatre pattes ! »

Il penche la tête et regarde Michel.

« Je me demande quels présents on te fera. Des sacs de caramels, tu crois ? Si c'était le cas, tu devrais les abandonner aux bonnes œuvres...

— Si j'ai des caramels, Vic, je vous les donnerai. »

Maintenant que l'heure de la séparation approche, il ferait n'importe quoi pour son ami.

« Vic, après-demain, je pars chez ma grand-mère. J'y resterai tout l'été. »

Tout d'abord, Vic paraît décontenancé. Puis il réplique :

« Moi aussi, j'irai chez grand-maman. La mienne est plus grand-mère que la tienne.

— Où vit-elle ?

— Dans une maison. Tu ne crois tout de même pas qu'elle passe toutes ses nuits dehors ? »

Ils n'en disent pas plus, que ce soit à propos de leurs grand-mères ou des cadeaux d'anniversaire, parce qu'il est tard. Il faut que Michel se couche s'il veut se réveiller à l'heure voulue le jour de ses huit ans.

*
* *

Elles sont presque insupportables, ces minutes où l'on attend que la porte s'ouvre, que toute la famille entre dans votre chambre, les bras chargés de cadeaux, et que l'on vous apporte votre petit déjeuner servi sur le plateau des grands jours. Michel est si tendu qu'il en a des crampes dans l'estomac. Enfin, les voilà ! Ils sont dans le couloir. Ils entonnent « bon anniversaire ». Ils ouvrent la porte ! Les voilà tous : papa, maman, Pat et Brigitte !

Michel s'assoit sur son lit, les yeux brillants.

« Bon anniversaire, Michel ! » dit maman.

Les uns après les autres, ils répètent les mêmes vœux. Voici le plateau avec le gâteau, les huit bougies et les paquets enrubannés.

Tiens, les autres années, les paquets étaient plus nombreux. Il n'y en a que quatre. Michel a beau compter et recompter. Il y en a quatre, pas un de plus !

« Il en arrivera peut-être d'autres dans le courant de la journée », dit papa.

Michel est ravi de ses quatre paquets. Il y a une boîte de peinture, un pistolet à amorces, un livre et des jeans comme il les aime. Qu'ils sont donc gentils, papa, maman, Pat et Brigitte !

Il essaie son pistolet et l'amorce éclate dans un fracas retentissant devant toute la famille qui, assise sur le bord de son lit, attendait la détonation.

« Dire que huit années se sont déjà écoulées depuis la venue au monde de ce petit bonhomme ! fait remarquer papa.

— Comme le temps passe ! dit maman. Tu te souviens, il pleuvait à verse ce jour-là !

— Je suis né à Stockholm, n'est-ce pas, maman ?

— Oui.

— Mais Pat et Brigitte sont nés à la campagne ?

— Et toi, papa, dans une ville, et maman dans une autre ?

— Parfaitement ! »

Michel se jette au cou de sa mère.

« Quelle chance on a eue de se rencontrer ! »

Ah oui ! Quelle chance ! Ils reprennent « bon anniversaire » en chœur et Michel tire un nouveau coup de pistolet qui assourdit tout le monde.

Dans l'après-midi, il brûle une quantité d'amorces en attendant ses invités et se creuse la tête à propos de la petite phrase de papa au sujet des cadeaux à venir plus tard. Pendant un instant, très bref, mais délicieux, il se demande si le miracle ne va pas se produire, si on ne va pas lui apporter un chien, puis il se dit que c'est impossible et se reproche sa stupidité : il s'est promis d'écarter les chiens de son esprit pendant cette journée et d'être heureux. Et il est heureux.

Maman fait tout pour qu'il le soit : au début de l'après-midi, elle commence à dresser le couvert dans sa chambre. Elle arrange un magnifique ensemble avec des fleurs et trois de ses plus belles, de ses plus fines tasses.

« Tu devrais en mettre quatre, maman.

— Pourquoi ? » demande-t-elle étonnée.

Michel avale sa salive. Il faut qu'il reconnaisse avoir invité Vic, en n'ignorant pas que maman en sera contrariée.

« Vic le Victorieux viendra, répond-il sans baisser les yeux.

— Oh ! fait maman. Oh ! Encore ce Vic ! Écoute... D'accord pour cette fois, puisque c'est ton anniversaire ! »

Elle passe ses doigts dans la tignasse blonde de son fils et l'ébouriffe.

« Quels enfantillages, Michel ! Croirait-on que tu viens d'avoir huit ans ? Quel âge as-tu en réalité ?

— Je suis un homme dans la fleur de l'âge, répond-il d'un ton solennel. Et Vic aussi. »

*
* *

La pendule traîne ses aiguilles avec une lenteur d'escargot. Les cadeaux promis n'arrivent pas.

Mais voilà Pat et Brigitte qui rentrent de leurs cours (car ils ne sont pas encore en vacances) et qui s'enferment dans la chambre de Pat. Il entend des petits rires et des bruits de papier froissé. Michel tremble de curiosité.

Enfin, longtemps après, ils sortent de la pièce et Brigitte lui tend un paquet en riant. Michel, ravi, entreprend de déchirer l'emballage mais Pat l'arrête :

140

« Il faut que tu lises le poème en premier. »

Ils ont écrit les vers qu'ils ont composés en gros caractères d'imprimerie pour qu'il puisse les déchiffrer sans aide.

DEPUIS DES MOIS, SOIR ET MATIN
TU NOUS REDEMANDES UN CHIEN,
TON FRÈRE ET TA SŒUR CHÉRIS
ONT COURU AUX GALERIES
T'ACHETER UN SUPERBE TOUTOU
AVEC COLLIER ET TOUT ET TOUT.
VOICI UN PETIT DOGUE EN VELOURS
BIEN JEUNE, BIEN DOUX, PAS LOURD,
QUI JAMAIS NE SAUTE OU NE CRIE
ET SURTOUT NE FAIT PAS PIPI !

Michel reste pétrifié. Il ne dit pas un mot.

« Ouvre le paquet, maintenant », conseille Pat.

Mais Michel envoie promener le paquet et les larmes se mettent à ruisseler sur son visage.

« Eh bien, quoi, qu'est-ce qui se passe ? s'écrie Brigitte.

— Tu n'es pas content ? » demande Pat, consterné.

Brigitte prend son petit frère dans ses bras.

« Oh ! Pardonne-nous, c'était pour rire ! »

Michel se dégage d'un violent coup d'épaule.

« Vous saviez pourtant, réussit-il à dire entre ses sanglots, que c'est un chien vivant que je veux ! Vous n'avez pas besoin de me faire marcher ! »

Il s'enfuit dans sa chambre et s'affale sur son lit. Pat et Brigitte le suivent. Maman accourt. Mais Michel ne les regarde pas. Son anniversaire est gâché. Il s'était promis d'être heureux, même sans chien, et ce qu'ils trouvent de mieux, c'est de lui en offrir un... en peluche ! Les sanglots se transforment en gémissements et il enfonce sa tête dans l'oreiller autant qu'il le peut. Maman, Pat et Brigitte le contemplent les larmes aux yeux.

« Je vais téléphoner à papa pour lui demander de quitter son bureau plus tôt que d'habitude », décide maman.

Michel reste inconsolable. A quoi cela servira-t-il que papa rentre plus tôt ? Son anniversaire est gâché, gâché ! Il n'y a plus rien à faire ! Il entend maman téléphoner et il continue à pleurer. Il entend dire que papa va venir bientôt, mais les larmes coulent toujours. Jamais plus il ne sera heureux. Il souhaiterait mourir et laisser à Pat et à Brigitte le chien en peluche qui leur rappellerait combien ils avaient été méchants le jour de son anniversaire.

Et soudain, tout le monde est là autour de son lit. Il creuse encore plus profondément son trou dans l'oreiller.

« Michel, il y a quelque chose qui t'attend, dans le vestibule », dit papa.

Michel ne répond rien. Son père le secoue par l'épaule.

« Un beau petit ami pour toi. Tu ne l'entends pas ?

— Suzanne ou Christian ? demande-t-il, maussade.

— Non. C'est Sirius.

— Je ne connais personne qui s'appelle Sirius, réplique-t-il de plus en plus grognon.

— Possible ! Mais il est impatient de te voir. »

C'est alors que du vestibule arrive un jappement aigu. Tous les muscles de Michel se contractent. Il s'accroche à l'oreiller. Quand son imagination cessera-t-elle de lui jouer des tours ?

Le jappement impératif s'élève à nouveau. Michel s'assoit sur son lit, comme projeté par un ressort.

« C'est un chien ? Un chien vivant ?

— Oui. C'est *ton* chien ! » dit papa.

Alors, Pat sort de la chambre en courant et revient au bout d'une seconde, portant dans ses bras — non, ce n'est pas possible ! — portant dans ses bras un jeune teckel, un dachshund ébouriffé.

« C'est *mon* chien vivant ? » murmure Michel.

Les yeux encore pleins de larmes, il tend les bras vers Sirius. On croirait qu'il pense que le teckel va s'évanouir en fumée.

Mais Sirius ne disparaît pas. Sirius est contre lui. Sirius lui lèche les joues. Sirius geint, Sirius aboie, Sirius lui mordille l'oreille. Sirius déborde de vie !

« Alors, Michel, tu es content, maintenant ? »

Michel pousse un gros soupir. Est-ce la peine de le lui demander ? Il est si heureux qu'il en a mal.

« Le chien en peluche, Michel, c'était un jouet pour ton Sirius, dit Brigitte. Nous ne voulions pas te taquiner, ou si peu ! »

Michel leur pardonne tout ! D'ailleurs, il l'a à peine écoutée. Il parle à Sirius.

« Sirius, mon Sirius, tu es mon chien ! Il est

encore plus beau que Georges ! dit-il à maman.
Les teckels de cette race sont les meilleurs ! »

Il se souvient subitement de Chris et de
Suzanne qui doivent arriver d'un instant à
l'autre. Il n'aurait jamais pensé que tant de
bonnes choses puissent s'accumuler en une
seule journée. Ils vont voir qu'il a un chien, un
chien à lui et qui est le plus beau, vraiment le
plus beau chien du monde !

Puis un souci l'effleure :

« Pourrai-je l'emmener avec moi chez grand-
mère ?

— Bien sûr ! Il voyagera dans son panier,
répond maman en désignant le panier d'osier
que Pat a également apporté.

— Oh ! fait Michel, oh ! »

A ce moment, retentit un coup de sonnette.
C'est Chris ! C'est Suzanne ! Michel se précipite
au-devant d'eux en criant :

« Papa et maman m'ont offert un chien ! Un
chien pour moi tout seul !

— Oh ! Il est à croquer ! » s'écrie Suzanne.

Mais aussitôt, elle se rend compte qu'elle a
oublié quelque chose.

« Bon anniversaire ! Tiens, Michel, de la part
de Chris et de ma part. »

Elle lui tend un gros sac de caramels. Puis
elle s'agenouille auprès de Sirius et répète :

« Il est à croquer ! »

Ce que cela fait plaisir à Michel !

« Presque aussi beau que Jeffy ! juge Chris.

— Presque plus beau, s'écrie Suzanne. Plus beau que Georges, en tout cas !

— Oh oui ! Beaucoup plus beau que Georges ! » admet Chris.

« Chris et Suzanne sont gentils », pense Michel en les invitant à s'asseoir à la table du goûter.

Sa mère vient d'y déposer des assiettes de sandwiches miniatures et des quantités de biscuits. Et, au milieu, il y a le gâteau d'anniversaire avec ses huit bougies. Maman apporte une grande jatte pleine de chocolat et remplit les tasses.

« Ne pourrait-on pas attendre Vic ? » demande Michel prudemment.

Maman secoue la tête.

« Non. Il ne faut plus penser à lui. Je te dis cela parce que je suis presque certaine qu'il ne viendra pas. A partir de maintenant, on ne s'en occupe plus. Tu as Sirius. »

Il a Sirius, c'est vrai, mais il souhaite tout de même que Vic assiste à son goûter d'anniversaire. Suzanne et Chris prennent place autour de la table et maman fait passer les assiettes de petits sandwiches. Michel s'est assis après avoir installé Sirius dans son panier. Puis maman les laisse seuls.

Pat entrouvre la porte :

« Vous nous garderez un peu de gâteau, pour que nous y goûtions, Brigitte et moi !

— On essaiera, dit Michel, bien que ce ne soit pas juste. Parce que vous avez passé sept où huit ans avant ma naissance à vous gaver de gâteaux !

— Ne cherche pas de bonnes raisons et mets-en un gros morceau de côté, compris ? » dit Pat en refermant la porte.

Il est à peine parti qu'on entend le bourdonnement familier et que Vic entre dans la pièce.

« Oh ! Vous avez déjà commencé ? Vous en avez déjà mangé beaucoup ? »

Michel assure qu'ils n'ont encore touché à rien.

« Bien !

— Vous ne souhaitez pas un bon anniversaire à Michel ? demande Suzanne.

— Ah ! Oh si ! Joyeux anniversaire ! Où dois-je m'asseoir ? »

Il n'y a pas de tasse pour lui, et lorsqu'il s'en aperçoit, son visage se contracte.

« Si on n'est pas correct envers moi, je m'en vais. Pourquoi n'ai-je pas de tasse ? »

Michel lui tend la sienne et, sur la pointe des pieds, va s'en chercher une à la cuisine.

« Vic ! J'ai un chien, annonce-t-il en rentrant. Il est là. Il s'appelle Sirius ! »

Michel lui montre le chiot endormi dans son panier.

« Ah ! bien, tant mieux ! Passe-moi ce sandwich, et celui-ci et celui-là. Bon, ça va pour l'instant. Je t'ai apporté un cadeau, parce que je suis le garçon le plus aimable du monde ! »

Il sort un sifflet de sa poche et le tend à Michel.

« Il te servira à appeler ton Sirius. Je siffle mes chiens aussi, bien qu'ils s'appellent tous Georges et que ce soient des chiens volants.

— Ils s'appellent tous Georges ? relève Chris.

— Oui, tous les mille. Tu le découpes, ce gâteau ?

— Merci, cher Vic ! dit Michel. Merci pour le sifflet. »

Quelle joie ce sera de s'en servir pour appeler Sirius !

« Je te l'emprunterai de temps en temps, peut-être même assez souvent. »

Une pensée lui traverse l'esprit.

« Tu as des caramels ? demande-t-il inquiet.

— Oui ! Suzanne et Chris m'en ont offert !

— Fais-en don immédiatement aux œuvres de charité ! » dit-il en empoignant le sac et en le fourrant dans sa poche avant de retomber sur l'assiette de sandwiches.

Christian, Suzanne et Michel n'ont plus qu'à

se dépêcher s'ils en veulent. Heureusement que maman en avait préparé une quantité !

Papa, maman, Pat et Brigitte sont au salon.

« Écoutez-les ! Comme ils s'amusent ! dit maman. Oh ! Je suis vraiment contente que Michel ait un chien. Il nous gênera sans doute, mais il fallait y passer !

— Pour qu'il abandonne sa sotte invention de Vic le Victorieux. C'est chose faite », achève papa.

Les rires et les bavardages des enfants donnent une idée à maman :

« Si nous allions voir ce qu'ils font ? Ils sont adorables, ces petits !

— Bonne idée ! » s'écrie Brigitte.

Ils se lèvent pour aller jeter un coup d'œil à la réception de Michel.

C'est papa qui ouvre la porte. Mais c'est maman qui pousse un cri. Parce qu'elle est la première à remarquer le petit personnage grassouillet assis en face de Michel, un petit bonhomme barbouillé de crème jusqu'aux oreilles.

« Je sens que je vais m'évanouir ! » dit-elle.

Papa, Pat et Brigitte, sidérés, regardent.

« Tu vois, maman, Vic est venu, dit vivement Michel. Quel merveilleux anniversaire j'ai eu ! »

Le petit homme replet s'essuie le visage d'une main et envoie de la crème fouettée partout en adressant un signe de bienvenue à la famille de Michel.

« Salut ! s'écrie-t-il d'une voix aiguë. Vous n'avez pas encore eu le plaisir de me rencontrer ! Je m'appelle Vic le Victorieux. Hé ! Suzanne, ne te sers donc pas si largement ! Il n'en restera plus pour moi ! »

Il saisit Suzanne par le poignet et l'oblige à lâcher la pelle à gâteaux.

« Je n'ai jamais vu une petite fille plus vorace que toi ! »

Il dépose une belle tranche de gâteau sur son assiette.

« Le plus grand dégustateur de pâtisserie du monde, c'est Vic le Victorieux, déclare-t-il avec un radieux sourire.

— Partons ! murmure maman.

— Ne vous gênez surtout pas pour moi ! » leur dit Vic.

*
* *

« Promettez-moi une chose, dit papa après avoir refermé la porte. Promettez-moi de ne parler de cela à personne !

— Pourquoi ? demande Pat.

— Premièrement, parce qu'on ne nous croi-

152

rait pas. Deuxièmement parce que si quelqu'un ajoutait foi à nos dires, nous n'aurions plus un moment de tranquillité jusqu'à la fin de nos jours ! »

Et papa, maman, Pat et Brigitte s'engagent à ne pas révéler quel étonnant compagnon de jeu Michel s'est donné.

(Ils tinrent parole. Personne n'entendit parler de Vic le Victorieux. C'est pourquoi il put continuer à vivre dans sa petite maison ignorée de tout le monde, bien qu'elle se trouve sur le toit d'un immeuble qui ressemble à n'importe quel autre immeuble, dans une rue de Stockholm qui ressemble à n'importe quelle autre rue de Stockholm. Vic put poursuivre sa vie vagabonde et jouer ses tours en paix, comme il en avait l'habitude, car c'était, vous le savez, le plus grand taquin du monde !)

Quand il ne reste plus de sandwiches, plus de biscuits, plus de gâteaux, quand Suzanne et Chris sont repartis chez eux, quand Sirius est endormi, Michel dit au revoir à Vic. Vic se tient sur le rebord de la fenêtre, prêt à s'envoler. L'air adouci fait voleter les rideaux. C'est l'été.

« Mon cher Vic, vous êtes certain d'habiter encore sur notre toit lorsque je rentrerai de vacances ?

— T'en fais pas ! répond Vic. Je reviendrai ici si ma grand-mère à moi me laisse repartir. Mais je ne peux en répondre, car je suis le meilleur petit-fils du monde.

— Vrai ? demande Michel.

— Voyons ! Qui d'autre que moi pourrait l'être ? »

Il actionne sa manette et le moteur se met à ronronner.

« A mon retour, nous mangerons des quantités de gâteaux, parce que ça ne fait pas grossir ! Salut, Michel !

— Salut, Vic ! » crie Michel.

154

Et Vic disparaît.

*
* *

Mais dans son panier, contre le lit de Michel, Sirius dort. Michel se penche sur lui. Le petit chien se réveille. Michel sent sa bonne odeur et lui flatte la tête.

« Demain nous partons chez grand-mère, Sirius, dit-il. Bonne nuit, Sirius ! Dors bien, Sirius ! »

TABLE

A paraître dans la même collection :

LE RETOUR
DE VIC LE VICTORIEUX
Astrid LINDGREN

Michel n'est pas content du tout. Sa maman, très fatiguée, est partie se reposer. Son père est en voyage d'affaires. Son frère et sa sœur ont la scarlatine ! Le voilà tout seul, en quarantaine, avec son chien Sirius et l'affreuse Mlle Lavelu.

Heureusement, Vic, qui n'est pas loin, vole au secours de Michel. La spécialité des deux compères étant de multiplier les bêtises, Mlle Lavelu n'a plus qu'à bien se tenir...

Après *Vic le Victorieux*, voici les nouvelles aventures de Vic, ce sacré farceur !

Composition réalisée par C.M.L., Montrouge.

IMPRIMÉ EN FRANCE PAR BRODARD ET TAUPIN
Usine de La Flèche (Sarthe), le 17 avril 1987.
5517-5   Dépôt légal Editeur 4627   5/1987.
LIBRAIRIE GÉNÉRALE FRANÇAISE - 6, rue Pierre-Sarrazin - 75006 Paris.
ISBN : 2 - 253 - 04243 - 9